시민의제사전 2020

시민의제사전 2020

민주시민교육원 나락한알 편저

차례

부록

지역과 문화공공성: 비판, 위기, 임계

●

김동규

1. 공공성이란 무엇인가?

문화를 공공성과 연결지어 논의하기 위해 공공성에 대한 이론적인 언급부터 해야하지 않을까. 공공성publicness 또는 공론장public sphere이란 무엇일까? 이 이야기를 위해 제일 먼저 거론해야 할 사람이 바로 하버마스다. 60년대 하버마스는 독일이 처한 당대의 현실에 대한 비판적 개입의 일환으로『공론장의 구조변동』이라는 책을 내 놓았다. 당시 독일은 나치의 패망에 대한 거대한 상처를 여전히 안고 있었고, 독일은 거기서 도망치기 위해 나치의 역사를 독일사의 예외적 상황으로, 다시 말해 정상적인 상황이 아니라 독일의 광기로 치부하거나 지우려함과 동시에, 독일의 순수했던 과거를 재생시키려 했다. 그 징후로 과거의 괴테와 현재의 헤세를 결합시키려 했고, 동시에 그 어떤 반성도 없던 하이데거가 재활되고 있었다. 다시 도래할지 모르는 독일의 비극을 막기 위해 하버마스는 토론하는 공중이라는 예방주

사를 준비했고, 공론장 또는 공공장소의 활성화를 통해 민주주의를 재건하고자 했다.[1]

공론장은 사적인 개인의 자유와 평등이 보장된 곳에서 사람들이 자유롭게 호혜적으로 자신의 의견을 공유하는 곳이다. 문제는 이 장소가 공공부문이 아니라, 사적부문에서 등장한다는 사실이다. 캐롤 헤이니쉬가 '개인적인 것은 정치적인 것'이라고 했듯, 하버마스의 공론장 역시 개인적이고 사적인 영역에서 공적인 것이 등장한다고 생각한 것이다.

예컨대 미나마타병을 앓던 사람들이 서로 고통을 나누기 위해 '환우회'를 만들었다. 그런데 서로의 고통을 나누던 중 그들이 같은 장소에 살고 있다는 사실을 알았고, 주변에 같은 시설이 있었다는 것을 알게 되었으며, 결국 자신의 병이 인근에 있던 수은 공장의 폐수가 식수로 유입되어서 생긴 문제라는 걸 알게 되는 순간, 미나마타병 환우회는 더 이상 사적인 동호회 수준을 넘어서 '정치적 모임'이 되는 것이다.

공론장이 이런 식으로 형성되면 이는 국가적 공론장이라 할 수 있다. 반면 국제적 교류가 활발한 요즘, 국제적 공론장도 생각해볼 수 있지 않을까? 다양한 민간 단체들의 국제적 포럼, SNS 상에서 벌어지는 다양한 이슈에 대한 공유와 토론 등을 국제적 공론장(공공성)이라 부를 수 있을 것이다. NGO가 그러한 공론장(공공성)을 대표하거나 창출해낼 수 있지만, 한 개인이 이러한 장을 열 수도 있다. 예컨대 일본에서 원폭 피해를 당한 한국사람들의 문제는 누가 해결해야 할

1. 김항, 『정치의 임계, 공공성의 모험』, 혜안, 2014, 22-28쪽 참고.

까? 이들의 피해는 한국-일본-중국이라는 3개국 또는 민간단체의 협력이 필요하며 이를 위해 국제적 공론장이 필요하다. 그러나 이런 공론장은 현재 작동하지 않고 있다. 환경 문제 역시 초국적 문제이므로 국제적 공론장들이 작동하고 있거나 새로운 공론장(공공성)이 요구된다.

국가권력이 정지된 곳이자, 사적 개인의 자유가 열리는 곳, 또는 사적인 자유를 과감히 열어 제침으로써 국가 권력이 중단되는 영역이 바로 전과 다른 형태의 공론장(공공성)이다. 사람들은 이곳에서 (국가적 또는 국제적) 공공성을 발명해낼 수 있다.[2]

이처럼 공론장 또는 공공성은 국가 권력(국제 권력)과 개인 사이의 구별 불가능한 영역에서 작동하며, 둘 사이의 관계를 든든히 구축하는 일종의 '전송벨트'라 할 수 있다. 사적 개인들이 모여 형성한 공적인 것이 국가 행정의 영역으로 투입되고, 국가 행정의 영역에서 만들어진 정책과 법이 사적인 개인에게 적용되는 비판적 순환관계의 연속은 '공론장' 또는 '공공성'을 통해 가능했다. 공론장이 이런 선순환관계를 연출할 경우 공론장은 권력이 타락하는 것을 막는 일종의 여과지가 된다. 이 여과지는 오직 자유롭고 평등한 개인들의 호혜적 소통 없이 작동하지 않는다. 하버마스의 공론장과 공공성은 자유로운 개인들이 만들어나가는 참여민주주의의 모델이 되었다.

그런 공론장(공공성)은 두 가지가 있다. 하나는 절차적으로 규제된 공론장(이것이 제도화된 형태가 의회이다.)이고, 다른 하나는 일반적 공론장이다. 일반적 공론장은 제한 없는 의사소통을 할 수 있는 곳

---

2. 김항, 위의 책, 33쪽, 35쪽 참고.

이고, 국가의 권력이나 구조적 폭력에 영향을 받으며 여론을 형성하는 공중의 장이다. 그러나 절차적으로 규제된 공론장은 이러한 여론을 절차적 정당성을 통하여 구체적인 법과 제도로 응결시키는 곳이다.[3] 그러나 이러한 정치적 공론장(공공성)의 출발이 사실 문화적 공론장이었다는 게 중요하다.

2. 문화적 공공성의 정치적 잠재력

하버마스 공론장이론의 출발점은 정치적 성격을 지닌 곳이 아니라 문화적 성격을 지닌 곳이었다. 커피하우스나 카페 살롱에서 문화와 예술을 이야기하던 것이 자연스레 정치에 대한 이야기를 논하는 곳으로 변했던 것이다. 이 관점은 후기에도 그대로 유지된다. 특정한 발화를 하기 위해서는 자신의 생각과 관념 그리고 느낌이 언어화될 필요가 있다. 여기서 하버마스는 문학 또는 문예공론장이 세계의 해석과 가치의 문제를 다루면서 정치적 공론장으로 얽혀든다고 생각한다.[4]

이 공중은 미디어에 그저 수동적으로 잠식되는 존재가 아니라 미디어의 메시지를 적극적으로 해석하는 존재로서, 미디어의 메시지를 자유롭게 해석하고 비판하며 심지어 이를 거부할 수 있는 존재이다. 그들은 공적인 장에서 서로 소통하고 토론하며 여기서 나온 판단을

---

3. 위르겐 하버마스, 『사실성과 타당성』, 나남, 2000, 374–375쪽 참고.
4. 위의 책, 483쪽 참고.

종합할 수 있다. 그 가운데 문화적 가치는 공공성을 띠고 정치화된다. 문화적 공공성 또는 문화 공론장도 정치 공론장과 마찬가지로 스스로 생산한 가치를 퍼뜨리는 공명판으로서의 기능을 하면서 문제가 되는 문화적 이슈에 대해 경고메시지를 알리는 경고체계의 기능을 한다. 하버마스는 문화공론장이 여기에 그쳐서는 안 되며, 특정한 이슈를 문제화 할 수 있는 힘을 생산하고 이 힘을 통하여 체계(행정체계와 시장체계)에 압력을 행사할 수 있어야 한다고 보았다.[5]

문화공공성 또는 문화공론장은 새로운 문화적 가치를 발굴하거나 기존의 문화적 가치를 보존하거나 개선할 수 있다. 이를 위해 문화적인 것을 정치적인 것과 매개시키는 기능을 하는 곳이 바로 문화공론장이다. 그 가운데 문화를 쇄신하고, 정치를 변화시키며, 변화된 정치를 다시 문화제도로 문화영역에 귀환시킬 수 있는 역할을 하는 것이 문화적 공공성이다. 문화공공성은 견제와 긴장 그리고 새로운 화해로 문화적 공공성에 활력을 제공하며 정치적 변화를 유도하는 장으로서 문화와 정치 사이에 존재하는 일종의 환풍로이다.

문화적 공공성이 작동하기 위한 몇 가지 원칙을 종합하면 이렇다. 첫째, 각 개인의 사적 의견과 느낌이 자유롭게 표현될 수 있어야 한다.(1.자유와 평등의 원칙) 둘째, 그러한 표현이 다른 사람들과 공유될 수 있어야 하며, 그러한 표현이 가공될 수 있기 위해 다양한 정보들이 공개되어야 할 뿐 아니라, 공개된 정보에 누구든 접근할 수 있어야 한다.(2.공개성과 참여의 원칙) 셋째, 문제가 된 가치에 대해 사람들이 논의를 할 경우 합리적 근거에 따라 의견을 조율해야 하며, 조율

5. 위의 책, 432쪽, 452쪽 참고.

된 의견이라 하더라도 언제나 합리적 근거에 의거해 비판할 수 있어야 한다.(3.합리적 비판 가능성의 원칙) 넷째, 이러한 일련의 논의 과정이 '타자의 관점의 수용'이라는 '상호주관성'의 원칙하에 이루어져야 하며 그 결과는 보편적으로 '수용가능'해야 한다.(4.상호주관적 보편성의 원칙) 이러한 원칙들이 이후 하버마스의『의사소통행위 이론』으로 더욱 정교화된다. 다섯째, 하버마스가 제대로 언급하고 있지는 않지만, 정작 이러한 공공성이 지켜지기 위한 시민적 역량을 키워야 공공성이 건강하게 지속될 수 있다. 이를 위해서는 시민적 공공성을 교육하는 것이 중요하다. 이 교육은 기존의 제도적 교육일 수도 있으나, 현장에서의 소통과 매체를 통한 정보의 공유만으로도 충분하다.(5.시민 상호 계몽의 원칙)

물론 공론장의 공공성은 합의의 정치만 이루어지는 곳이 아니다. 인정을 위한 투쟁의 장이기도 하다. 그러나 투쟁만으로 민주주의의 숙의 정치를 해소할 수 없다. 그렇다고 숙의의 정치만으로 권력의 언어를 넘어설 수 없는 잠재적 힘의 등장을 기대할 수도 없다. 따라서 공론장에서 발생하는 토론과 대화의 정치는 반드시 투쟁으로서의 정치와 병진竝進될 수밖에 없다.

3. 문화공공성의 위기

공공성에 위협을 주는 외부적 요소 두 가지가 있다. 하나는 시장에 의한 공공성의 잠식이고 다른 하나는 행정에 의한 공공성의 잠식이다. 이는 하버마스의 유명한 생활세계의 식민화 테제를 번역하여 적용한 것인데, 전자는 공공성의 사사화privatization라는 말로, 후자는 공공성의 관공화officialization로 표현할 수 있다. 하버마스는 이를 일찍이 (행정과 시장) 체계에 의한 생활세계의 식민화로 개념화했던 것이다. 물론 이러한 하버마스의 입장이 체계의 공세적 태도에 대한 수세적 반응이라는 지적이 있었으나, 최근의 문화계의 공적 사건은 단순히 문화 공공성을 지키기 위해 수세적 태도만을 취하지는 않는다. 잃어버린 공공성을 되찾기 위해서 상당히 공세적인 태도를 취하는 경우도 있는데, 점거squat는 그 대표적 사례에 해당한다.[6]

공세적 태도나 실천은 그저 언술이나 합의 차원에 그치는 것이 아니라 일종의 인정투쟁으로서, 행위와 실천의 차원이 더 부각된다. 물론 이 역시 하버마스의 공공성이론에 기반을 두고 다음과 같이 논의할 수 있다. 타자의 차이를 수용할 수 없는 상황이 발생하거나, 상호간의 논쟁이 그치지 않을 때에는 기존의 합의는 계속 유보되어야 하며, 끝내 일치되지 않는 의견은 '차이'를 인정하는 선에서 마무리 될 수 있다. 그럼에도 불구하고 공론장의 논의는 발화와 언어를 우선시한다. 따라서 발화 능력을 갖추지 못한 다양한 공중의 잠재력은 공론장에서 배제되기 십상이다. 그렇다고 이러한 잠재력이 공론장에서 억압되어서는 안 된다. '잠재성'은 말 그대로 공적 잠재력을 가지고 있는 것이며, 언제든 기존의 공론장을 찢고 침입할 수 있다. 잠재적인 것들

6. 함부르크의 파크 픽션 운동과 갱에비어텔 운동은 점거와 투쟁으로 이러한 공공성을 탈환하고 유지 존속시켜나가는 문화공공성의 공세적 특징을 대표한다. 이에 대해서는 다음을 참고하라. 졸고, 「공공미술과 장소서사: 함부르크의 파크 픽션을 중심으로」, 『로컬서사와 재현』, 소명출판, 2017. 그리고 졸고, 「함부르크의 두 가지 공공미술 사례와 생활세계의 식민화 테제의 양상」, 『독일연구』 33, 한국독일사학회, 2016.

이 가지는 투쟁의 가능성, 그리고 잠재적인 것들이 귀환할 경우 공론장이 새롭게 열릴 수 있는 가능성을 인정하지 않은 공론장 역시 합리적이지 않다. 따라서 공론장은 아직은 공적이지 않은 것들이 귀환할 때에도 개방되어야 한다. 이것 또한 공론장 또는 공공성의 합리성에 포함된다.(6.잠재성에 대한 공공성의 개방 원칙)[7]

뿐만 아니라 공공성에 위협을 주는 내부적 요소가 있다. 일단 위에서 언급된 형식적 원칙이 작동하지 않을 경우가 있다. 저 형식적 원칙이 외부적 요인으로 작동 불능이 되는 경우도 있지만, 공론장에 참여한 시민(단체)의 역량 부족으로 인해 작동 불능이 되는 경우도 있다. 따라서 문화 공공성은 문화를 수용하고 해석하고 비평하고 생산하는 '시민적 역량을 강화'할 필요가 있다. 앞서 언급된 상호계몽의 원칙이 이와 관련된다. 그런데 '시민성 교육' 또는 '민주시민'이라는 수사가 붙으면, 곧장 빨갱이 취급 받는 한국의 문화-정치적 토양은 처음부터 문화적 공공성의 위기를 알리는 징후다.

1) 위기 1 : 인사

"인사가 만사다."라는 말이 있다. 달리 말해 이는 인사의 공공성을 말하는 것이기도 하다. 그러나 한국은 문화계만이 아니라 거의 모든 곳에 인사의 공공성을 찾기 쉽지 않다. 박근혜정부들어 그 공공성은 붕괴일로에 있다.

어느 국립미술관의 학예사로 일하고 있는 A에 따르면 문화 예술

---

7. 졸고, 「새장르 공공미술의 정치철학: 공론장 개념을 중심으로」, 『사회와 철학』 25집, 2013년, 7쪽, 18쪽 참고.

관련 기관의 기관장으로 임명되는 인물들은 대부분 특정 정치인들이나 지자체 장들이 투하시킨 경우이고, 일단 투하된 기관장들은 정계에 줄을 잘 대서 성공했다는 인식을 기본적으로 갖고 있다고 한다. 하지만 관련 분야에 전문적인 지식이 없거나 부족한 경우가 많고, 정치논리에 기관의 논리를 맡겨버려 전문기관으로서의 입지를 흔드는 경우도 많다고 했다. 이런 상황에서 시나 도의 문화예술 관련 공무원들은 문화예술 관련기관을 시나 도의 정책을 수행하는 하위 기관쯤으로 이해하고, 심지어 시장이나 도지사의 즉각적인 아이디어를 미술관이나 예술회관에서 수행하도록 강제하는 경우까지 있다고 한다. 더 문제가 심각한 것은 이런 강제가 거의 저항 없이 먹히고 있다는 사실이다.

가장 대표적인 사례가 부산비엔날레 사태다. 2014년 비엔날레의 파행은 오광수의 인사파행으로 시작되었다. 부산 미술계가 크게 동요했고, 시민들의 측에서는 부산문화연대가 꾸려졌다. 상황이 심각해지자 비엔날레측에서 추후 제도개선위원회를 만든다고 발표했다. 이에 한편은 이 발표에 신뢰를 보내고 보이콧 운동을 중단하자는 쪽과, 다른 한편은 제도개선위 발표를 믿을 수 없고, 만든다 해도 제대로 작동될 리 없으니 부산문화연대는 계속 비판적 입장을 견지해야 한다는 입장으로 나누어졌다. 이 동요 사이에서 견제세력인 부산문화연대의 판은 깨졌고, 갈등이 채 봉합되지 않은 채 다시 2016년 비엔날레가 열렸다. 개념과 이론의 부재라는 외부적 비판과 상업적 성공이라는 내부 자축 속에 비엔날레가 마무리되었지만, 이후 내부고발이 터졌다. 집행위원장 임동락의 폭정과 예산 운용의 불공정성 문제, 작품 구입 및 설치 과정에서의 의혹이 제기되었으나, 임동락은 다시 다음번 비엔날레의 집행위원장으로 재신임되었다.

문화계 인사를 선임할 때 마땅히 있어야 할 공론화 없이, 코드인사, 낙하산인사로 문화계 주요인사가 낙점되고, 문제가 생겨서 공론이 발생해도 공론의 공공성을 무시하고 진행되는 행정폭력은 문화가 갖는 기본적인 공공성을 심각히 사사화한 것이자, 문화에 대한 행정의 점령행위이다. 이런 상황에서 그런 행정의 엄호를 받고 입성한 인물에게 공공성을 기대한다는 것은 기적이나 다름없다. 그런데 임동락의 무혈입성 이후 부산 문화계는 지나치게 조용하다. 2014년 비엔날레 보이콧 운동이 자멸하고 남긴 상처가 채 아물지 않았기 때문일까. 문화행정은 이제 스스로의 성과에 힘입어 과감히 시장과 결탁한다.

2) 위기 2 : 길들이기와 식민화

행정이 문화를 식민화해버린 후, 행정 체계는 문화라는 하위 체계를 자기 특유의 코드로 운용하기 시작한다. 즉 행정 특유의 성과주의에 문화-예술계가 포획되면서, 문화-예술적 가치의 부흥을 양적으로 측정할 수 있는 대상으로 변질시키는 것이다.[8] 결국 문화-예술적 가치를 문화-예술산업, 문화-예술시장으로 오인해버리는 것이다. 이런 행정 관성은 문화-예술계 발전 방안을 예술산업/예술시장 활성

8. 그런데 심지어 정량적 성과를 내고 질적인 평가도 우수한 사업도 사후 평가에 대한 고려 없이 일방적으로 예산이 없어져서 사업이 사라지는 일도 있었다. 예컨대 민주시민교육원 나락한알이 지역 도서관, 지역의 소극장, 교육청 및 학교와 연계해서 독서-연극-인문학을 결합한 북콘서트 〈야단법석 문학마당〉을 기획한 일이 있었다. 극장을 가득 채우는 행사였고, 지역의 연극단체를 소개하면서 연극을 통해 책을 읽는 살아 있는 독서콘서트를 개최했었다. 관객과 도서관 그리고 교육청과 학교의 반응이 전반적으로 좋았고, 초대받은 저자 역시 자신의 책이 연극으로 상연되는 것에 고무되었던 행사였다. 모두 내년 행사를 기대하고 마무리 되었던 행사가 '예산' 편성 변경을 통해 행사 자체가 사라전 적도 있었다.

화로 한정해버린다. 불꽃축제가 부산시 최고의 문화축제라는 둥, 아트페어에 집중지원을 한다든가 하는 것들은 문화적 공공성을 침식시키려는 시장-행정공모체계의 사례라 하겠다. 문화-예술 산업은 문화를 사유화하고 이 사유화를 통해 사적인 이익을 추구하려는 것을 주목적으로 하는데, 여기서 공공성이 꽃필 수 있을까? 문화와 산업, 문화와 사업 사이에 균형을 잡지 못하면 문화의 공공성과 문화적 가치는 그대로 망실된다.

행정-시장의 공모체계에 마땅히 저항하면서 자립적 생존을 이어나가야할 단체가 문화-예술 단체이다. 그런데 정작 자립적 생존력을 확보하기 쉽지 않은 상황에서 이 제3섹터는 견제와 비판의 기능을 잃어버린 채, 자신의 생존을 위해 행정-시장의 공모연합체에 스스로 투항하는 경우도 생긴다. 이 경우 공모사업 선정을 위해 무비판적이어야 하고, 관의 요구에 자신의 양심을 버리면서, 단체의 생존을 의탁해야 한다. 심지어 거대 규모의 공공사업에 지속적으로 선정되어야 단체가 존속되므로 자신의 전문성을 행정의 비전문성에 맞춰야 한다.

리처드 세라의 〈기울어진 호〉는 작품의 철거에 직면하여 공청회가 열렸고, 시민들의 다양한 공공성의 발현으로 작품 철거에 반대를 표하는 사람들이 많았다. 실제로 열린 공청회에서 철거 찬성표보다 반대표가 더 많이 나왔다.(찬성 58명, 반대 122명) 그럼에도 연방조달청 지부장 다이아몬드는 이를 무시했고, 공청회 판정단의 판정(찬성 4, 반대 1)대로 작품의 철거가 결정되었다. 공청회는 형식적 퍼포먼스에 불과했다. 등장한 공공성은 행정의 횡포로 일거에 거품이 되었다.

부산에는 〈무빙트리엔날레: 메이드 인 부산〉이라는 행사가 있었다. 이 행사 이전에 2014년 부산비엔날레 보이콧 운동이 있었고, 이 보이콧 운동을 부산비엔날레와 대항한다는 의미로 〈무빙트리엔날레〉로 진행하자는 집행부 내부의견이 있었다. 이런 움직임을 포착한 부산시와 부산시의 압력을 받은 부산문화재단은 〈무빙트리엔날레〉를 안티 비엔날레 행사로 진행할 경우에는 공모 선정 단체에게 공모를 취소하겠다고 으름장을 놓았다. 행정이 일종의 검열을 시행했던 것이다. 이는 명백히 헌정파괴행위였음에도 불구하고 행사로 단체의 생존을 연명해야 했던 B단체는 보이콧 운동과 〈무빙트리엔날레〉를 연결시키지 않기로 자체 결정했다. 이에 반대하던 일부 집행부원의 반대로 결국 보이콧 운동에 참여한 사람들의 의견을 모아 투표하기로 결의했고, 투표 결과 한 표 차이로 보이콧 운동을 계속하기로 결정이 났다.

그런데 부산문화연대 집행부 핵심인사들(이들이 〈무빙트리엔날레〉를 진행하는 실제 진행자들이기도 했다.)은 투표에 승복하기로 했던 결정에 반대하여 모두 사퇴하고 〈무빙트리엔날레〉라는 사업만을 들고 도주했다. 보이콧 운동인줄 알고 〈무빙트리엔날레〉에 참여한 작가들의 황당함과 분노 그리고 남겨진 사람들의 혼란스러움은 쉬 가시지 않았다. 문화연대라는 이름으로 등장한 정치적 공공성은 해프닝에 그쳐버렸고, 결국 공모사업만이 진행되었다.[9] 특정 민간문화예술단체가 강렬히 형성됐던 공공성의 강밀도를 일거에 폭파해체시킨 것이다. 결국 텅비어버린 지역 문화예술의 공적 터전에 다시 새로운 파행의 씨가

---

9. 이에 대한 상세한 언급은 졸고, 「우왕좌왕 무빙트리엔날레: 문화민주주의 파괴에 대한 보고서」, 『contemporary art journal』 vol. 19, 2014, 18-24쪽을 참고.

뿌려졌다. 2016년 임동락의 비리이자 2018년 임동락의 귀환 사태다. 부산 문화예술계의 공공성은 기이한 침묵으로 가득하다.

생존을 관의 대규모 공모사업에 의탁한 단체의 문화사업이란, 아주 쉽게 훈육된 생계형 사업, 그리고 허락된 저항의 수준을 넘지 못한다. 프랑크푸르트 학파의 관리된 사회의 테제를 빌어 말하자면 이런 유형의 사업은 관리된 문화사업이라 할 수 있겠다. 여기는 공공성이 아니라 행정에 종속된 공공성으로서의 관공성officialization만 남는다. 그들의 문화주권은 결국 관이 틀어쥔 상황이라, 행정이 허용하는 수준에 한하여 주권자인 체 하는 형식적-연극적 주권만이 남아 있다. 이처럼 식민화의 위력은 제3섹터의 공적 역량도 고스란히 잠식시킬 수 있다.

이에 더하여 민영화의 문제나 사사화의 문제가 직접적인 토지문제로 불거지는 경우도 있다. 토지의 사유화나 젠트리피케이션과 동시에 일어나는 예술가들의 추방, 창조도시를 주창하면서 예술가들을 간단히 소비하고 버리는 일들이 비일비재하다. 필자는 그 대표적인 사례로 독일의 사례를 다룬바 있다. 행정과 시장이 점령하는 공적 시민의 영역을 탈환하기 위해 독일 예술가들이 벌인 점거운동의 사례가 대표적인데[10] 최근 새롭게 한국에서 부각되는 문제가 있다. 국가도시공원 일몰제인데, 2020년 국가도시공원으로 지정된 곳들의 규제가 풀리게 되면, 그곳이 아파트가 된다거나 상업적 용도로 사용될 것이다. 이는 결국 특정 토지들이 사유화된다는 것을 의미하며, 총길이

10. 졸고, 「공공미술과 장소서사: 함부르크의 파크 픽션을 중심으로」, 『로컬서사와 재현』, 소명출판, 2017. 그리고 졸고, 「함부르크의 두 가지 공공미술 사례와 생활세계의 식민화 테제의 양상」, 『독일연구』 33, 한국독일사학회, 2016.

280여 km의 갈맷길도 이 일로 끊어지게 된다. 생태파괴와 난개발의 우려 속에서 국공유지까지 민간자본에게 내주어야 하는 식민화과정, 다시 말해 행정과 시장체계가 공모하여 시민의 생활세계를 잠식하는 식민화과정을 막아내는 일은 시민들의 공적 역량을 결집하는 일일 텐데, 현재로서는 이러한 힘의 결집이 쉽지는 않아 보인다. 그리고 이러한 난맥상에서 실질적인 추방이 생긴다. 공유지를 향유하던 시민은 이제 그 자리에서 쫓겨날 수밖에 없다.

상황이 이런데, 이런 상황을 이슈화해서 문제로 제기하고, 이 문제를 체계적으로 논의할 수 있는 공론장이 없다. 단발적인 운동에 이론적이고 체계적인 비평을 더해야 그 결론으로 특정한 문화정책을 생산하거나 저항운동을 할 수 있을 것인데, 정작 지역의 문화잡지들은 폐간이나 휴간을 거듭하거나, 폐간이나 휴간을 목전에 두고 있다. 지역 방송이나 신문들조차 이런 문제를 제대로 다루지 못하거나, 대중에게 전달되어 공론을 형성하는 데는 실패하는 듯 보인다. 그런데 더 나쁜 사례가 있다. 예컨대 KNN방송국 같은 경우가 그렇다. 동해남부선 폐선을 시민의 공원으로 돌려주려고 해운대기찻길 친구들이라는 단체가 결성되었다. 그리고 KNN은 이 단체의 활동을 라디오와 TV로 2차례 취재해 갔음에도, 결국 방송은 불방되었다. KNN방송국 자체가 그 땅에 레일바이크 사업을 진행하려고 눈독을 들이고 있었기 때문이라는 말이 있다. 지역의 문화적 이슈를 공론화시킬 수 있는 방송국이 자신의 사익추구에 방해가 되는 내용의 방송을 공론장에 내놓을 리 만무하다. 국제신문은 최근 L시티 비리와 국제신문 사장이 연루되어 지역시민의 저항에 직면하기도 했다.

문화공론장의 잠재력이 실로 바닥으로 곤두박질치고 있는 상황을 마치 반영이라도 하듯이 이번 대선후보들의 10대 공약 중 문화정책이 거의 공동적으로 빠져 있다는 것은 지역과 한국의 문화공론장의 허약한 현실을 그대로 드러내는 것이다. 실제로 정당 정책으로 문화정책을 입안하여 발표할 경우 마치 교양수업 듣는 것처럼 행복하게 정책을 듣는 경우를 보게 된다. 토건과 경제 등의 개발이 아닌 정책 발의는 공허한 울림에 불과한 것이 정당정치의 현실이다.

3) 위기 3 : 검열과 파괴된 공론장

블랙리스트 정국 이전부터 검열의 문제는 지속적으로 등장했다. 박근혜는 복면시위자들을 빗대어 IS에 비유했고, 워싱턴포스트 한국 지부장의 조롱 섞인 비판을 받기도 했다. 다양한 비판과 저항에도 불구하고 행정검열의 돌진은 크고 작게 지속되었다. 유독 검열과 관련된 사건이 많았으니, 다양한 매체들에서 문화-예술계의 검열 문제를 특집으로 다룰 수밖에 없었다. 그 뜨거운 이슈중 하나가 바로 부산국제영화제 사태였다. 〈다이빙벨〉의 상영 금지 압력, 상영에 따른 보복과 이용관의 해임, 중앙에서 영화심의위원회에 〈다이빙벨〉을 심의하기도 전에 이 영화를 15세 이상 관람으로 하라는 지시를 내리기, 예산삭감 등 실로 잠복해 있던 다양한 모순들이 부산국제영화제를 통해 터져 나왔다. 그리고 그 끝에 블랙리스트 사건이 똬리를 틀고 있었다.

그런데 여기서 중요한 것은 위와 같은 사건은 국가적 규모로 불거진 사건이지만, 정작 이런 사건을 예고했던 사태는 지역단위에서 소규모로 이미 비일비재했다는 사실이다. 부산은 특정 정당이 지역 정치를 '독점'했고, 그 흔적이 여전히 남아 있다. 박근혜정권이 탄핵된 이후에도 여전히 그 잔영이 남아 있다. 덕분에 관의 사업을 공모할 경우 이미 지역에서 진보운동을 하는 단체에 대한 선정에 불리한 심사를 하거나, 심사장에서 아예 부당한 질문을 받는 경우가 있다. 심사장에서 좌파단체로 의심받고 심사에 불리한 적용을 받는 경우가 있다. 아예 심사에서 처음부터 배제되는 경우도 있다. 위에서 언급된 무빙트리엔날레 비엔날레 보이콧 행사의 파괴상황도 검열의 일환이다.

이런 상황에서 지역적 규모의 검열과 문제를 공론화할 수 있는 공론장은 극히 미미하다. 이런 문제를 논의하고, 또 논의한 내용들을 정치화할 수 있는 역량이 적어도 부산은 상당히 부족하다. 그나마 현재 국제영화제와 관련된 움직임들은 활발하지만, 그 외 규모가 작은 이슈들은 표면화되지도 공론화되지도 않는다. 덕분에 지역 사회의 주요한 이슈에서 늘 제외되기 십상이다. 이처럼 작은 검열들이 조금씩 문화적 공공성에 균열을 내어 끝내 블랙리스트 사태라는 쓰나미를 몰고 왔다. 거대한 재앙을 막기 위해서라도 지역적 차원의 문화-예술의 공적 역량과 잠재력을 높여야 한다. 하지만 여전히 이번 대선후보들의 10대 공약 안에 문화예술 공약은 거의 찾아볼 수가 없다.

4) 위기 4 : 지역, 젠더, 세대 등의 문제

부산의 문화 예술적 공공성이 부산 외 문화 예술적 공공성에 얼마나 많은 파급력을 가질 수 있을까? 부산의 지역적 특성을 반영한 문화인프라와 문화적 산물들이 과연 지역을 초월하여 공유될 수 있는 여지는 얼마나 될까? 이와는 달리 중앙의 문화인프라와 문화적 생산물들이 지역에 미치는 영향력은 어떠할까? 문화계에 명백히 보이는 다양한 비대칭성 속에서 '지역의 문화 공공성'은 어떻게 자신의 특성을 지켜내며, 나름의 정체성을 유지, 생산할 수 있을까? 중앙에서 이름깨나 떨친 유력인사가 잠깐 들렀다 가거나, 중앙에서 하방하라고 투하시킨 관공성 수준 정도로 부산의 문화예술계는 그 공적 잠재력을 제대로 발휘할 수나 있을까?

지역의 문화사업에 대한 중앙의 인지도 부족, 심지어 지역 내 기관마저 지역 인프라에 대한 인지도가 부족한 것 역시 문제가 있다. 최근 부산문화재단은 상당한 노력으로 이런 인프라에 대한 데이터와 네트워크를 구축해왔다. 하지만 여전히 양적인 수준의 인식을 넘지 못한다. 전문가에 대한 정확한 정보에 기초해서 이미 구축된 데이터를 더 꼼꼼히 보완해 나가야할 것이다. 그러나 이렇게 구축된 데이터를 관계 기관(시청, 교육청, 구청 등)에서 적극적으로 활용할 수 있는 통로를 갖추지는 못했다.

물적 인프라의 사정은 어떨까? 부산은 여태 문화예산의 대부분을 토목과 건축에 사용했다. 을숙도 현대미술관 짓기, 오페라하우스, 영화의전당 등 건물을 짓는 것으로 문화예산을 썼다. 아니면 불꽃축제 같은 1회성 행사에 대규모 문화예산을 투입했다. 부산 북항은 문화예술지구를 지정해두었으나, 토지를 구매하는 곳에서 지구단위 용도계획을 변경할 수 있도록 허용해 두었다. 그리도 문제가 된다고 언급했던 오페라하우스는 결국 건립하기로 했다. 결국 문화는 유실되고 장삿속만 남기는 부실한 정책문제 앞에 문화적 공공성은 뿌리내리기 어렵다.

문화예술인의 다양한 젠더적 소외는 또 어떨까? 투잡 멀티잡을 병행할 수밖에 없는 생계형 남성 작가, 동시에 주부 겸 작가여야 하거나 주부가 되면 작업을 중단해야 하는 여성 작가, 이 두 가지 가부장 코드에 들어오지 않는 여타 작가들의 고충 등은 앞으로 어떻게 공적인 지위를 확보할 수 있을까? 어느 작가는 이런 언급을 해달라고 부탁했다. "왜 대부분의 심사와 공모는 남성 작가들이나 기획자들이 하는 것일까요? 미술관련 교육프로 그램 진행될 때도 주요한 교육은 남성작가들과 기획자들께서 프로그램을 진행하시더군요. 그렇다면 지역에 사는 여성 작가가 문화 행정과 정치의 공적 장에 참여할 가능성은 얼마나 될까요?" 그 외에도 청년작가 지원, 중견작가 지원 프로그램은 있지만 사이에 끼어있는 세대의 작가들을 향한 지원은 거의 없다. 그렇다면 세대별만이 아니라, 세대 간 문화적 공공성에 대한 구체적인 고민도 필요하다.

국비 정산 시스템이 e-나라도움 시스템으로 바뀌면서 공무원들의 업무가 1.5배 늘었다. 공모에 선정된 단체들의 부담도 자연스럽게 늘었다. 그런데 여기에 디지털 시스템과 거리가 먼 디지맹들, 소위 매체로부터 소외된 문화예술인들이 공모와 지원사업에 대한 접근성 제한이 자연스럽게 형성되기도 했다. 심지어 연로하신 분들은 공인인증서 하나 만들기 어려워서 지원을 포기하는 경우도 있다. 문화예술인에 대한 접근성을 제고할 수 있는 환경 없이 이러한 조치를 남발할 경우, 공적 접근을 높인다는 명목 하에 매체 간 블록을 형성하여, 특정 계층의 공적 접근을 배제하는 일이 생긴다는 것도 유의해야 할 것이다. 그런데 더 중요한 것은 이러한 정산 시스템이 문화예술계 사람들은 잠재적 범죄자로 보는 것은 아닌지 하는 의심이 든다는 것이다. 즉 문화예술계 사람들은 언제든 기회만 엿보이면 공금을 횡령할 수 있는 사람으로 본다는 것이다. 그 어떤 장이든 음모와 의심이 활개 친다면 그곳은 이미 공공성이 유실된 곳으로 간주할 수 있다.[11]

아울러 예술가들의 창의적 활동을 노동의 근면성으로만 평가하려는 힘도 있다. 부산시의회 경제문화위원회의 문창무 시의원 같은 인사들이 그렇다. 예술노동은 아폴론의 노동세계가 아니라 디오니소스의 에로스적 세계에 해당한다. '4차 산업' 운운할 때, 제일 중요한 것으로 창의성을 요구한다. 2018년 부산비엔날레 감독을 심사할 때도, 국제/국내 감독 지원자들의 2/3가 4차 산업과 예술을 언급했다. 탄핵당한 정권도 창의경제 얘길 했으니, 창의성이 예술을 넘어 경제에도 참으로 중요한 담론이 되었다. 그런데, 바로 이 창의성은 아폴론의 근면성에서 등장하지 않는다. 바로 빈둥거림에서 창의성이 등장한다는 것이다. 예술을 아폴론의 질서로, 시장의 질서로, 수익성과 수량화라는 정량적 질서로만 판단하려 한다면, 부산의 예술은 그 지속가능성을 결코 보장받을 수 없을 것이다.

4. 대안들

문화예술계의 공공성을 높이기 위한 몇 가지 원칙들을 나열하면 이렇다. 원칙 1. 자유와 평등. 이는 문화예술 단체나 개인이 자신의 작

11. 전상진, 『음모론의 시대』, 문학과지성, 2014년 참고.

업에 대한 독립성과 자율성을 균등하게 누릴 수 있어야 하며, 심사의 권위주의나 관의 권위주의 역시 타파되어야 한다. 이는 다음 원칙과 연결된다. 원칙 2. 공개성과 참여(개방적 접근성). 문화예술 공론장은 늘 정보가 공개되어 있어야 하며 누구나 자유롭게 문화예술 공론장에 접근하고 참여할 수 있어야 하며, 이를 위한 매개지 또는 플랫폼이 충분히 확보되어 있어야 한다. 원칙 3. 절차적 정당성. 문화예술의 공론장 또는 공공성에서 진행되는 다양한 행정, 토론 등을 통한 의견 수렴의 절차는 반드시 절차적 정당성에 의거해야 한다는 것이다. 인사파행이나, 형식적 공청회의 개최, 다수 시민들의 의견을 묵살하고 특정 기관의 입김에 따라 특정 문화적 가치를 일방적으로 결정하는 일들이 없어야 한다. 이러한 절차적 정당성을 지켰다고 해도 원칙 4. 합리적 비판(저항)가능성이 없다면 공공성은 의문에 부쳐진다. 이는 문화예술의 공론장(공공성)에 비판과 비평의 문화가 보장되어야 함을 의미한다. 그런 점에서 이 비판은 상호적 관점교환에 의거하여 보편적 의견일치에 도달해야 한다. 이러한 과정을 통해 문화예술의 공론장에서 다양한 시민들이 서로 배울 수 있다.

최근 미투를 통해 페미니즘 진영에서 뜨겁게 열린 공론장은 이러한 시민적 상호계몽성의 모범적인 사례라 할 수 있다. 실로 다양한 담론들이 쏟아져 나오고, 이 담론들을 통해 새로운 개념들과 지식들, 타자의 관점들을 교환할 수 있다. 이는 한국 공론장에 불어 닥친 일종의 축복이다. 예컨대 〈더러운 잠〉사건이나 〈맥심〉사태, 〈리터〉 등의 사건을 통해 페미니즘 진영에서는 다양한 담론들을 쏟아 냈다. 그러나 상대적으로 문화예술계에서 순진한 수준의 표현의 자유담론정도만

생산된 것은 심각히 반성해야 할 일이다. 끝으로 원칙 5. 잠재적 공공성에 대한 환대. 공론장은 실제로 발언된 것들만 다루고, 표현된 것들만을 다루지만, 정작 발언되지 않은 것들, 표현되지 않은 것들이 가진 잠재적 힘들이 있다. 이 힘들이 귀환할 경우 문화예술 공론장이 어떤 태도를 취할 수 있느냐 하는 것 역시 공론장(공공성)의 건강도를 체크하는 중요한 원칙이다.

이를 위해 각 문화예술가와 문화예술단체는 스스로의 독립성과 자율성을 넘어 자생적 역량을 확보하고 강화해가야 할 것이다. 지원에 의존한 생존이 아니라, 지원과는 무관하게 자신의 생존과 자율성을 이어나갈 수 있어야 한다. 여기에 팔길이 원칙(지원은 하되, 간섭은 하지 않는다.)에 의거한 공적 지원이 더해진다면, 기존의 파괴된 문화예술생태계는 점점 복원될 수 있을 것이다. 팔길이 원칙에 입각한 공적 지원이 공정하게 지속되기 위해서는 무엇보다 문화예술계에 종사하는 관계자들의 공공성 개념 확립이 중요하며, 이런 개념을 확립할 수 있는 매개지mediated field다. 이는 문화예술계의 공적 역량을 강화시키고 확산시킬 것이다. 여기에 각 기관장들과 전문 인력에 대한 인사행정이 작동해야 하고, 이 인사행정을 넘어 각종 문화정책의 수립 과정과 결정이 투명하게 그리고 공개적으로 이루어져야 한다. 최종적으로 이 과정과 결정에 전문가들과 시민들이 참여할 수 있는 여지를 점차 넓혀가야 할 것이다. 이러한 과정이 바로 시민문화주권의 획득과 향유과정이다.

이러한 토대 위에서 지역 시민과 지역 시민들의 문화적 잠재력을 공적인 문화적 행사와 연계시켜야 한다. 부산국제영화제의 사례를 들자면, 부산국제영화제 덕분에 부산 시민들은 실로 엄청난 규모의 다양성 영화에 노출될 수 있었다. 부산 시민들의 영화 향유의 다양성을 급격히 올렸던 것이 바로 부산국제영화제였다. 덕분에 영화제가 끝나도 이 다양성 영화를 향유하려던 사람들이 생겼고, 비키영화제, 단편영화제, 독립영화제와 같은 큰 규모의 영화도 생겼다. 심지어 이를 넘어서 관객영화제, 탈핵영화제, 평화영화제, 초록영화제, 여성영화제 등 다양한 공동체 영화제나 공동체 상영회 같은 것들이 생겼다. 이런 힘들이 다시 부산국제영화제와 같은 국제문화행사에 되먹임 될 수 있어야 한다.

영화는 종합예술이다. 그렇다면 영화는 다른 장르의 문화와 결합될 수 있는 여지가 있다. 그리고 거대 규모의 영화제가 이미 지역 단위의 소규모 영화제와 연결된다면, 부산은 실로 1년 365일 동안 영화제가 열리는 도시가 된다. 큰 규모의 공공성이 작은 규모의 공공성 그리고 유사한 이웃의 문화공공성과 연계할 수 있다면, 이는 실로 지역문화의 공공적 잠재력이 지역을 넘어서 국제적으로 뻗어나가는 사례가 될 것이다.

이런 상황에서 시행되는 문화민주주의교육은 아직 오지 않은 문화의 공적 잠재력을 앞당겨 실현할 수 있다. 문화민주주의 교육은 현장에서 진행되는 공공예술의 과정을 통해서도 이루어지지만, 실질적인 이론의 교육과 방법론의 교육이 진행되어야 한다. 그러나 현실은 이를 위한 체계적인 접근을 제공하지 않는다.

따라서 지역 문화의 활성화를 위하여 생산자-매개자-수용자 사이의 지속적 선순환관계를 형성하는 건강한 지역 문화생태계를 만들어야 한다. 여기서 이미 수용자가 스스로 생산자가 되는 다양한 활동과 지원이 있었고, 문화예술교육이 그런 역할을 해왔다. 따라서 이미 활성화된 풀뿌리 생활문화 영역을 더욱 지속가능하게 활성화할 수 있는 비전과 전략도 필요하다. 지역생활문화센터를 만들고 활성화시키는 것도 중요하지만, 구별로 설치되어 있는 문화관의 활용을 다양하게 하고 접근을 쉽게 하는 것도 좋겠다. 그리고 이미 지역에 있는 소극장을 활성화하는 지원방안을 만드는 것도 좋겠다. 그리고 부산이 아무리 영화의 도시라고는 하지만, 지역의 기초 예술에 대한 지원에 소홀해서는 안 된다. 지역의 문화적 토양을 단일화하고 획일화하는 것보다는 다양화하는 것이 중요하다. 생물종도 DNA의 복잡성이 축소되면 멸종의 위기에 취약하지만, 문화영역은 실제로 그 다양성을 통해 생존하고 풍부해진다. 심지어 그 영화의 도시라는 이름조차 독립예술영화와 관련되면, 영화라는 장르 안에서도 풍요와 빈곤은 극과 극이다. 지역에 독립예술영화상영 전용관 하나 없으니 말이다. 독립예술영화 전용관 설립을 위한 토론회가 열린 것도 그런 맥락에서다.(부록 참고)

문화예술 교육도 필요하지만, 풀뿌리 단위에서 이를 매개하는 기획자나 경영자, 마케팅인력, 홍보인력 역시 양성하여 창업기회를 제공하거나, 역량을 발휘할 수 있는 기회를 제공하거나 아니면 지역의 문화인력으로 고용해야 한다. 이를 위해 풀뿌리 단위, 행정 단위, 시장 단위를 연결할 수 있는 매개단위와 매개지 그리고 전문 매개자인력이 필요하다. 이는 지역 내, 지역 간 인력 유출입 요인을 구축할 수 있는 퍼실리테이터들과 문화기획자들의 지속가능한 역량강화로 이어질 것이며, 청년문화기획자들에게 실질적인 기획 기회를 부여할 것이다. 여기서 구축된 문화싱크탱크는 문화이론–실천–행정이 조화를 이룰 수 있는 로드맵을 제공할 것이다. 지역과 지역 간(더 이상 중앙이란 말은 쓰지 말자.) 매개역할은 말할 것도 없다. 최종적으로 여기서 생산된 이론–아이디어–관념들이 지역 문화 전문잡지나 매체를 통해 공적으로 표출되고 공유되어야 한다. 이러한 환경 안에서 문화예술정책의 장기 플랜을 마련해야 할 것이다.

결론 : 위기, 비판 그리고 임계

비판이라는 말은 그리스어 크리티케kritike에서 유래했고, 위기를 의미하는 crisis와 어원이 같다. 이 말이 처음 사용된 분야는 '의학' 분야였다.[12] 위기와 어원이 같은 비판이 의학분야에서 사용되었다는 것은 생명이 경각에 달린 환자의 위기에 '진단과 치료'를 가하는 행위가 바로 비판임을 의미한다. 비판은 또한 '임계'라는 의미도 갖고 있다. 이 임계가 바로 위기와 같은 어원을 갖고 있을 보여주는 증거이다.

그렇다면 비판은 비난이나 네거티브 공세와는 그 성격이 다르다. 위기와 임계지점에서 특정한 존재의 사망을 생명으로 전환시키는 생산적 치료 행위가 바로 비판인 셈이다. 공공성은 바로 이 비판을 수단으로 사회의 생명력을 연장하고 순환시킨다. 그런 점에서 공공성은 한 사회의 허벅지다. 허벅지가 신체 기관 중 피를 정화하는 기능을 갖

12. 문현병, 『프랑크푸르트학파의 사회비판이론』, 동녘, 1993, 185쪽 참고. 하버마스, 『후기 자본주의의 정당성 문제』, 종로서적, 1983, 3쪽 참고.

고 있다하지 않은가. 일찍이 국민국가가 탄생하기를 간절히 염원했던 마키아벨리 역시 '공화국'의 중요 요소로 인민의 자유, 비판적 봉기의 중요성 그리고 집회의 중요성을 언급한 바 있다.[13] 소위 조용한 공화국은 건강하지 않은 공화국이 되는 셈인데, 인사파행, 블랙리스트 정국에도 조용할 수 있는 곳이라면, 이곳은 시민의 공적 잠재력이 병들어 있다는 징후이다. 그리고 부패한 권력이 지속적으로 관철될 경우 한 사회는 붕괴로 방향을 잡게 된다. 정치적 공공성을 담지한 문화적 공공성의 잠재력이 새삼 중요한 이유다.

그런데 한국에서는 정작 기초예술학과들이 지역을 중심으로 통폐합되거나 폐과되고, 문화와 예술의 성과는 시장의 정량적 평가의 관성에 지속적으로 굴복하고 있으며, 그 가운데 의식을 가지고 작업하려는 작가들의 생존이 경각에 달리게 되었다. 훈육되고 길들여진 단체만이 생존을 보장받으며, 점점 문화사업자로 변모해가는 이 굴욕적 공공성을 퇴행으로 진단하는 것은 무리가 아닐 게다. 블랙리스트니, 세월오월 전시 금지니, 원아시아 페스티벌이니, 부산비엔날레의 연이은 패착이니 하는 일 등은 그처럼 병든 공공성이 낳은 사생아다. 한국의 문화공론장은 이처럼 끊임없이 붉은 등을 점멸하면서 공공성의 침몰을 막으려 했다. 이 절박한 신호는 여전히 점멸되고 있다.

이 책에서 논의되는 다양한 발언들은 그 점멸의 다양성을 보여준다. 2020년 문화의제는 지역의 문화담론을 특집으로 하여, 동아시아 의제를 발굴하기 위한 시추 작업이 동시에 진행되었다. 이어서 지역의 취약계층을 돌보는 사람(복지사)들이 겪는 차별 그리고 지역에서

13. 마키아벨리, 『로마사 논고』, 한길사, 2013년, 87쪽, 140쪽 참고.

음성을 내지 못했던 어린이와 청소년의 음성을 부록으로 실어 보았다. 이 책에 실린 다양한 비판이 지역의 위기를 생명으로 되돌리는 건강한 음성으로 전달되기를 바란다.

생활문화 활성화를 위한 설문지 / 설문 인원 142명

1. 일상생활에서 문화를 누리기 위해 가장 필요하다고 생각하는 것은 무엇입니까? 가장 중요한 것을 중심으로 아래 괄호에 순서를 나열해 주세요.

	1 순위	2 순위	3 순위	4 순위	5 순위	무응답
1.시간	67	20	17	13	23	2
2. 공간	34	59	15	19	13	2
3.기획자	14	18	42	44	22	2
4.콘텐츠	13	39	23	45	20	2
5.예술가	9	9	36	32	54	2

2. 일상생활 속 문화 향유를 위해 가장 적절한 시간은 언제 입니까?

주중	42
주말	87
오전	27
오후	62
저녁	40
무응답(주중,주말)(오전,오후.저녁)	13

9시	10시	11시	12시	1시	2시	3시
2	16	7	4	5	26	19
주부	학생	사회복지사	무직	교사	작가	전문직,사무직
10	22	59	3	3	1	2

4시	5시	6시	7시	8시	무응답
5	4	8	18	7	21
농업	숲해설가	심리상담가	시민,자영업	활동가,회사원	무응답
1	1	1	2	3	35

3. 일상생활 속 문화 향유를 위해 가장 적절한 장르는 무엇입니까?

1. 주민자치센터	3
2. 구문화원	5
3. 도서관이나 학교 같은 마을인근의 공공기관 개방	60
4. 마을 주변의 오래된 건물을 발굴하고 보존한 곳을 활용	62
5.새로 건물을 짓는다.	4
무응답	1
기타의견	7
접근하기 쉬운 곳!	
내가 사는 곳과 밀접한 곳, 집에서 가기 쉬운곳, 접근성이 큰 곳	
공원, 박물관	
주거지와 접근성이 높은 편안하게 개방된 공간(1~5 어느것이어도 앞의 조건을 충족하면 좋음)	
이런것 사실 그렇고 사람이 아무 생각 없이 쉴 수 있는 곳(예: 넓은 잔디 위에 그냥 누워 있어도 되는곳)	
카페, 맛집 주변(밥먹고 산책하기 좋음)	
영화관	

4. 일상생활 속 문화 향유를 위해 가장 적절한 장르는 무엇입니까? 중요한 것 순으로 나열해 주세요.

	1순위	2순위	2순위	4순위	5순위	6순위	7순위	8순위	9순위	무응답
연극	3	27	20	19	20	14	15	8	3	13
영화	53	26	21	9	5	5	3	0	7	13
무용	3	2	5	8	11	13	14	28	45	13
노래	14	17	14	22	12	20	9	12	9	13
미술전시	13	16	15	20	27	14	11	8	5	13
독서	15	16	22	10	12	12	18	13	11	13
박물관	3	5	19	16	23	25	16	14	8	13
복합문화공연	19	10	16	11	16	12	27	13	5	13
동아리 활동이 가능한 사랑방	6	8	5	8	11	7	15	32	37	13

I

지속가능한 선순환적 문화생태계를 만들기

원향미

1. 여는말

#1.

일 마치고 집으로 돌아와서 저녁을 먹고, 동네 놀이터에서 열린다는 마을 예술제에 간다. 옆집 사는 지호 아버지가 배우란 걸 알고 있었지만, 공연에서 보니 영 딴 사람처럼 보인다. 머리털 나고 연극이란 거 본적이 없었는데 지호 아버지 덕분에 연극도 보러가고, 예술가란 사람들이랑 통성명도 했다. 이번에 마을 사람들 대상으로 주민센터에서 저녁 연극교실을 연다는데 마치고 당구 한 판, 맥주 한 잔이 고파서지만 이참에 연극도 한번 배워봐야겠다는 생각이 든다. 연극하면서 세상보는 눈이 달라졌다는 이야기를 지난해 연극교실에 참가했던 소미 아버지한테 들었기 때문에 이번에는 나도 한번 도전해봐야겠다.

#2.

지역에서 연극하면서 살아가는 거 참 힘이 들지만, 요즘은 이웃 사람들하고 연극교실도 하고, 예술제 준비도 같이 하면서 예술인으로 살아가는 보람이 좀 든다. 슈퍼에 가도 우리 동네 이웃집 예술가라고 알아보시고 다음에 공연할 때 놀러가겠다는 분들이 늘어나니, 이 동네에 대한 애착도 참 많이 생긴다.

주민센터에서도 먼저 연락이 와서 연극교실을 열어달라고 하니 지역 구성원으로 나의 역할이 있다는 생각이 들어 보람도 느껴진다. 팬들이 생기니 작품을 할 때 관객 걱정 안해도 되고, 주민센터 글쓰기 강좌 수강생분들이 오셔서 공연비평도 블로그랑 SNS에 올려주시니

다른 기관에서도 공연 의뢰가 들어온다. 이웃이 결국 든든한 지원군이 되고 있다.

#3.

동네 토박이로 살면서 우리 동네에 예술가들이 사는지도 몰랐다. 재단에서 우리동네 문화매개자 양성 과정이 있다고 해서 60넘어 제대로 할 수 있을지 걱정은 되었지만 한번 도전해보기로 했다. 마을 예술가들이 직접 강사가 되셔서 작품세계도 이야기해주고, 작업실에도 초청해서 가보기도 했다. 우리 마을에 공방, 갤러리 까페, 동네서점 이런 것들이 이렇게 많은지도 몰랐다. 이제 산에만 가지 말고 우리 마을 예술가들 공연하고 전시할 때도 열심히 쫓아다니고, 같이 바둑 두는 멤버들도 좀 데리고 다녀야겠다.

문화회관에서 시니어극단도 모집한다는데 평소에 웃기기로 소문났었는데 부인이랑 사별하고 영 힘들어 하는 세탁소 김씨를 꼬셔서 같이 가봐야겠다.

#4.

이 동네 주민센터로 부임하고 보니 '우리마을 문화 리빙랩'이란게 있어서 참 신기했다. 문화재단에서 연결해서 예술가들하고, 복지사, 학교 교사, 주민 조직에 계신 분들이 정기적으로 만나는 모임이라고 한다. 만나고 보니 참 성격이 다른 양반들이 한데 모여 시끄럽기도 하고 서로 싸우시는 모습도 많이 봤다. 그래도 몇 년 함께 호흡을 맞추고 나니 해결해야 할 마을 문제랑 도와드려야 할 주민들 찾아내는 데는 도사셨다. 지난 해 여름에는 거리가 너무 더워 차양막을 만들까 생각중이다 하니 그냥 만들면 멋대가리 없다고 미술작품으로 차양막을 만들자고 해서 동네 미술학원 아이들 작품가지고 설치작가 선생님이 멋진 차양막을 만들어주셨다. 삭막하던 길거리가 차양막 하나로도 이렇게 달라지나 싶었다.

위의 이야기들은 상상일 수도 있고, 실제로 어느 동네에서 일어나고 있는 일이기도 하다. 문화정책 의제사전을 준비하면서 부산에서 지속가능한 문화생태계를 구축하기 위한 과제들을 고민하면서 적어보았다. 거창한 문화생태계를 생각하니 어디서부터 이야기해야 할지 막막했지만, 동네에서 구현하고 싶었던, 살짝은 구현해 보았던, 또 어딘가에서 구현하고 있다는 이야기들을 적어보니 생태계의 구체적 그림이 보이기 시작한다.

문화체육관광부의 2030문화비전인 〈사람이 있는 문화〉의 5번째 의제는 '공정하고 다양한 문화생태계 조성'이다. 생태계 조성의 한 축으로 공정성을 강조하면서, 문화예술과 콘텐츠 시장의 공정 환경을 조성하기 위하여 표준계약서 확대, 서면계약 의무화, 예술계 불공정 행위 신고센터 역할 확대, 저작권 수익 분배구조 합리화 등을 추진과제로 선정했다. 다른 한 축으로는 예술의 다양성 확대를 위하여 지원방식 개선, 공연시설의 기획 기능 강화, 예술단체 자생력 강화를 위한 지원체계 도입을 추진과제로 언급했다.

부산의 문화생태계에서 공정성과 다양성은 어떤 의미일까? 공정

환경을 조성할 수 있을 만큼 순환하는 생태계가 존재하고 있을까? 재단의 지원사업 규모로 보면 해마다 많은 예술작품들이 쏟아져 나오는데 발표 후에는 어떠한 경로로 지역에 스며들거나 흐르고 있을까? 부산의 예술가는 작품 생산을 통해 예술세계가 커지고, 그 어렵다는 '예술을 통해 먹고 사는 삶'을 유지하고 있을까? 지역의 예술을 통해 시민은 삶의 의미를 찾고 아름다움을 느끼면서 정서적 살림살이가 나아지고 있을까?

생태계의 중요한 특징은 자율성과 순환성일 것이다. 자율적으로 순환하면서 지속할 수 있는 체계가 생태계이다. 기초예술분야와 생활문화분야가 좀처럼 접점을 찾지 못하고 있는 지금 부산의 현실로 보면 생태계의 순환성은 아직도 이어지지 못하고 있는 듯하다. 지역의 문화 생태계가 자율적으로 순환하면서 지속하려면 어떤 구조가 만들어져야 할까?

문화생태계를 구성하고 있는 주체로서 예술의 창작, 매개, 향수 과정에 적극적으로 참여하는 예술가, 매개자, 향유자라는 축은 오늘날 어떤 형태로 존재하고 있을까? 과거엔 창작자, 매개자, 향유자라는 전통적 구분이 가능했지만, 이제는 각 주체들이 다양한 경로로 그 경계를 넘나들고 있다. 매체의 발달로 전통적인 예술 개념도 계속 진화하고, 새로운 개념과 형태를 갖춘 예술이 등장하고 있다. 고전적인 예술의 등장 경로를 벗어나 형성되고 있는 문화생태계의 구조는 복잡한 순환고리들의 결합으로 형성되고 있다.

이 글에서는 지속가능한 문화생태계에 대한 여러 질문들을 던져

보고자 한다. 크고 작은 질문들을 던지다 보면 정책적으로 고민해보아야 할 지점들이 나올 것이다.

2. 지속가능한 문화생태계를 위한 질문들

〈공통질문〉

- 생태계 내 각 주체들은 다양한 경로로 양성되어 안정적으로 생태계에 진입하고 있는가?
- 생태계 내 각 주체들은 자율적 순환과정을 통해 지역 문화생태계에서 안정적으로 머무르고 있는가?
- 생태계 내 각 주체들이 지속가능하려면 어떤 조건이 필요할까?

1) 생태계의 주체 - 생산자

생산자들이 양성되는 다양한 기회가 존재하고, 안정적으로 생태계에 진입하고 있는가?

생산자인 예술가들은 어떻게 양성되고 있는가? 예술대학에 학과가 설치되어 있는 경우 정규교육과정을 거쳐 예술가로 양성되는 경로가 존재하고 있다. 그러나 졸업 후 지속적인 예술활동을 하기 위한 여건은 녹록치 않다. 예술활동을 하기 위한 경제적 여건, 작업 환경 조성, 창작 후 발표 기회, 소비자 층을 만드는 등 사회 구성원으로서의 역할을 하기 위한 경로들을 발굴하는 것이 개인의 몫으로만 여겨지고 있기 때문이다. 지속적으로 예술활동을 하고 싶지만, 공적 지원금에서 배제되거나, 삶의 지속가능성이 담보되지 않으면 예술활동을 접기도 한다.

부산에서 종합예술대학이 설치된 대학교는 부산대학교가 유일하다. 이는 정규교육과정을 거쳐 양성되는 예술인이 점점 줄어들고 있다는 것을 의미한다. 정규교육과정이 아닌 다른 경로로 예술가가 되는 경우도 있지만, 예술가 양성 교육시스템의 주요한 축이 무너지고 있다는 것은 인정해야 한다.

최근 예술가의 진입경로는 다양해지고 있다. 정규교육과정이 아니더라도, 관심있는 분야에 대해 적극적으로 정보를 취득하면서 예술가의 삶을 택하는 경우가 발생하고 있다. 그들 또한 지속가능한 예술활동을 위해 창작 역량을 올리고 싶거나, 발표기회를 만들고, 소비자층을 확보하는 등의 공통된 고민을 하고 있다.

– 진입된 생산자들은 지역에서 안정적으로 예술활동을 하고 있는가? 창작된 작품들은 지역사회로 유통되어 소비자들을 만나고 있는가?

생태계에 진입한 생산자들이 지역에서 안정적으로 예술창작을 하기 위해서는 창작된 작품들이 그야말로 '돈'이 되는 조건이 이루어져야 한다. 혹은 안정적인 창작기금과 제도적인 부분에 있어 지속적인 창작여건이 마련되어야 한다. 연습실, 창작공간 등 작업환경도 조성되어야 한다. 최근에는 레지던스 사업이나 창작공간 활성화 등을 통해 일부이지만 작업실 지원 등이 제공되는 사례도 늘고 있다. 창작여건에 대한 지원은 조금씩 개선되고 있다. 그러나 창작된 작품들은 지역사회로 잘 유통되고 있을까? 매년 예술지원사업을 통해 다양한 장르의 기초예술 분야에서 작품들이 생산되고 있다. 그러나 발표 후 재공연, 판매, 비평 등으로 지역에서 회자되는 작품들은 얼마나 될까? 우린 아직 이 영역에서 유의미한 수치를 확인하지 못했다. 생산된 작품들이 다양한 경로로 재언급 되거나 유통될 수 있는 구조를 만들어야 한다. 예술가의 활동들이 지역에서 회자되는 기회가 많아져야 한다. 비평이든 감상이든 지역에서 계속 불리워지는 구조가 필요하다.

※ 생산자의 예술활동 범위는 어디까지인가?

여기서 제기되는 의문은 '예술활동은 어디까지인가?'이다. 예술활동은 작품 생산에만 국한되는가? 문화예술교육이나 도시재생 등에 투입되는 예술 프로그램이나 커뮤니티 아트 활동은 예술활동인가? 우리 사회에서는 예술가가 예술강사활동을 하거나 마을활동을 하게 될 경우 예술가에서 다른 분야로 전업했다는 시선을 보낸다. 몇 년 전 만났던 판화과 교수님의 경우 치매에 걸린 어머니를 위해 소근육을 활용한 활동키트를 만들고, 시장에서 커뮤니티아트 활동 결과물로 전시를 하는 등의 활동을 시작하면서 주변에서 예술가에서 교육자로 전업하신 이유가 뭐냐는 질문을 받았다고 한다. 교수님의 모든 활동이 예술활동의 연장임에도 불구하고 창작만이 예술활동의 처음이자 끝이라는 시선은 불편하다.

자신이 가진 예술적 역량을 사회와의 연결 과정에 펼쳐보임으로써 사회적 예술을 실천하는 기회가 많아진다면, 이 또한 생산자 주체의 지속가능한 생태계 내 머무름을 유지할 수 있는 방안이 될 것이다.

사회적 예술 실천이 요즘 가장 핫한 이슈다. 문화비전마다 예술의 사회적 가치를 언급하고 있다. 그동안의 지원사업들의 확대내역을 살펴보면 우리는 그동안 예술의 사회적 실천기회를 일정 정도 담아내고 있었다. 그럼에도 불구하고 파급효과가 부족했던 원인은 예술가들에게 주도적 실천기회를 제공하지 않았기 때문이다. 사회적 실천의 형태는 예술가마다, 지역마다 다를 수 있다. 이 문제에 대한 깊이있는 고민의 시간과 그에 맞는 예술적 해결과제를 예술가가 주도하려면 열린 구조의 공모나 지원사업이 있어야 한다. 그러나 우리는 지금까지 방법론은 훌륭했지만 원인과 사회적 영향력에 대한 실천적 고민의 기회는 지원사업을 설계하는 일부의 고민에서 멈추었다. 착한 예술활동에서 멈춰버린 예술의 사회적 실천의 범위를 다양하게 만들어줄 필요가 있다.

▶ 예술가의 활동 확장과정 : 작품창작 → 예술교육 및 커뮤니티 활동 수행 → 지역사회와 자신의 예술활동의 적극적 연계 활동

– 생산자들이 지속가능하려면 어떤 조건이 필요할까?

예술인을 위한 사회안전망 구축이 필요하다. 예술 활동이 노동의 가치로 인정받기 힘든 구조에서는 일반적인 사회안전망이 예술가를 보호할 수 없다. 예술만이 특별하기 때문이 아니라 특수한 노동의 형태이기 때문에 특수한 사회안전망이 필요하다는 사회적 합의와 공감이 선행되어야 한다.

우리는 문화정책을 수립하면서 각 주체들에 대한 고민보다는 과업별로 고민했던 것이 아닐까 싶다. 예술가들이 지역에서 지속가능하

게 살아가기 위한 단계별 고민은 부족했다. 예술가들이 생산자의 위치에서 작품 창작만 하는 단계에 머무르는 것이 아니라 매개자 등 활동 영역을 확장하기 위한 역량강화와 같은 성장 단계별 지원정책이 체계적으로 만들어질 필요가 있다.

2) 생태계의 주체 – 소비자

소비자들은 안정적으로 양성되어 생태계 내로 진입하고 있는가?

그렇다면 소비자층은 양성되고 있는가? 문화예술 소비자로서 진입하기 위해 어떤 과정들이 존재하고 있을까? 관심을 유발하고, 예술을 접하고, 지속적인 예술소비에 익숙해지기 위해서 어떤 노력이 수반되어야 하는가? 문화예술 소비는 문화예술에 대한 재미와 감동을

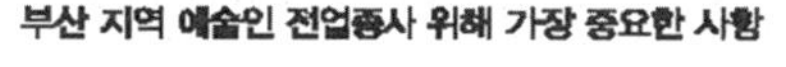

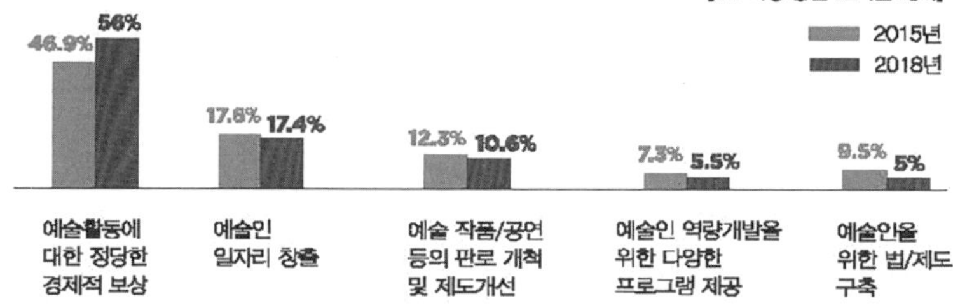

부산 지역 예술인 연간 평균 수입 응답자수 1,404명 단위 %

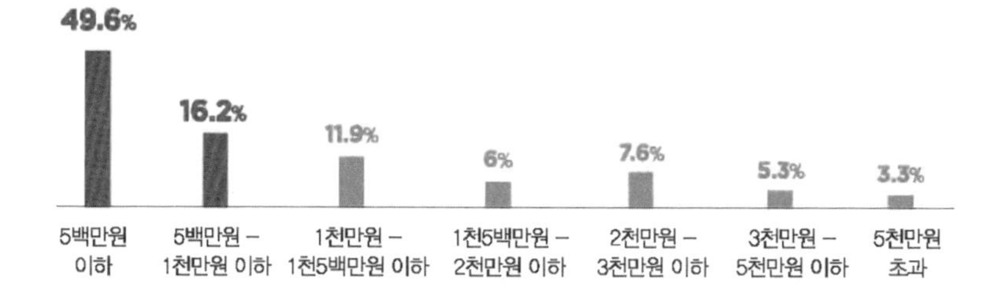

느낄 수 있도록 다양한 경로의 정보제공과 교육, 활동 참여 등의 조건이 선행되어야 한다. 문체부에서 정기적으로 시행하는 문화향수 실태조사 등을 보면 여가시간 중 문화예술활동을 즐기는 시민의 비율은 매우 낮다. 여가시간 중 문화활동의 비중이 낮은 것도 문제지만 그나마 존재하는 문화활동 중에서도 영화관람이 가장 높은 비율을 차지하고 있다. 예술에 대한 낯설음은 예술소비자로 진입하는 문턱을 높이고 있다.

최근 지자체 및 문화재단에서 거리예술 등 무료로 문화예술 관람의 기회를 제공하는 경우가 많다. 예술에 대한 낯설음을 없애기 위한 좋은 의도로 시작했지만, 한편으로는 지역의 문화예술은 돈 주고 보는 것이 아니라는 인식을 제공하는 빌미가 되는 것이 아닌지 우려가 된다.

수동적 감상과 향유라는 소비활동에서 예술교육을 통해 자율적인 생활문화동아리 등의 적극적 참여 활동으로 넘어간 후, 적극적인 창작활동 단계까지 이동하는 것이 소비자의 성장 단계일 것이다. 그렇다면 예술교육을 통한 자율적인 생활문화동아리들은 생태계에 어떻

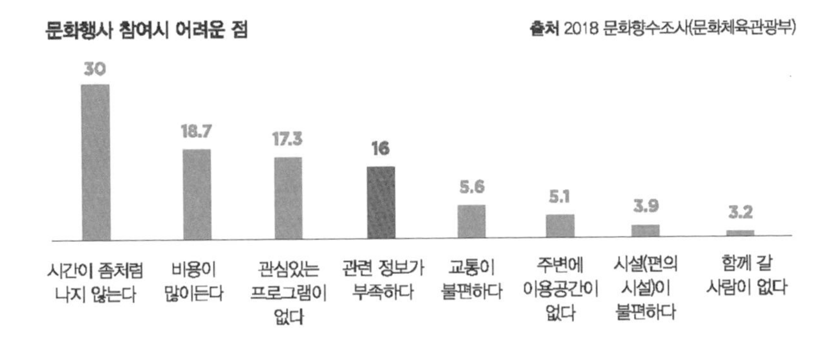

게 진입하고 있는가?

그간 생활문화활동에 대한 지원이 강화되면서 지역마다 생활문화 동아리의 활동이 다양해지고 있다. 주민센터, 생활문화센터 등의 거점공간에서 예술교육도 시행되고 있다. 이 과정도 예술소비자를 양성하는 좋은 진입경로가 되고 있다.

미래의 예술소비자를 만드는 경로는 어떠한가? 학교에서 예술교육이 이루어지고 있지만, 교과 위주 혹은 일반적인 기술 중심의 교육이 많은 비율을 차지하고 있다. 지속가능한 지역의 문화생태계를 만들기 위해서 학교 예술교육에서 지역과의 연결고리를 어떻게 찾을 수 있을까? 과거에 문화다양성 연구학교로 지정된 학교가 있어 학교, 재단, 지역 예술가가 함께 결합한 프로젝트를 진행한 적이 있다. 학부모를 대상으로 한 수업이었다. 그들은 이 프로젝트를 통해 지역의 청년 예술가들과 관계를 맺었다. 예술가들은 지역 학교와 관계를 맺었다. 이 관계들은 앞으로 다양한 형태의 후속 프로젝트를 만들 수 있는 기회가 될 수 있을 것이다. 최근 학교 교육에서 중점적으로 고민하고 있는 부분은 학교 밖 마을교육환경 조성이다. 온 마을이 아이를 키운다는 말이 있듯 지역과 연계된 교육환경이 복합적으로 조성되기를 고민하고 있다. 이 과정에서 우리는 지속가능 문화생태계 구축을 위한 미래의 소비자들과 생산자들이 만날 수 있는 기회를 만들 수 있다.

소비자들은 지역 문화생태계에서 안정적으로 유지되고 있는가?

▶ 시민의 소비자로서 확장 과정 : 관심(정보 제공, 흥미 유발) → 향유(편의, 지속적 관심 유도) → 능동적 배움(장애요인 제거, 욕구 유

발) → 적극적 창작(지원, 발표의 기회)

소비자들이 지역 문화생태계에 안정적으로 존재하기 위해서는 예술향유를 하기 위한 삶의 여건을 우선적으로 갖추어야 한다. 물론 시간과 비용이라는 현실적 여건을 개선하는 것은 쉽지 않다. 그러나 정보 부족, 관심있는 프로그램의 부재는 충분히 개선이 가능할 것이다. 또한 생산자와 소비자 간 관계맺음의 기회를 많이 제공하는 것도 필요하다.

부산에서 지역예술을 소비하는 소비자들을 찾아보기가 쉽지 않다. 그러나 서울이나 외국의 예술 컨텐츠가 부산에서 소비되는 경우가 다른 도시에 비해 낮은 것은 아니다. 로컬 예술에 대한 기대치와 관련된 문제인지는 알 수 없지만, 이중적 소비현상이 일어나고 있는 것이 사실이다.

지역 생활문화활동에 지역의 예술가들이 연결되는 경우는 어떤가? 지역의 주민센터마다 진행되는 예술교육 프로그램이 노래교실, 춤 등 한정된 장르로만 이루어져 있는 현실을 지역 예술가의 참여로 변화가 가능하다. 시민들은 문화예술활동을 하고 싶어도 어디서 하는지 몰라서 하기 힘들다는 이야기를 한다. 실제 마을에 있는 공방이나 예술공간에서 이루어지는 교육프로그램을 알려드리면 등잔 밑이 어두웠다는 반응을 보인다. 이 지점에서 시민과 예술가를 이어주는 매개자의 역할이 중요한 지점으로 등장한다.

3) 생태계의 주체 - 매개자

매개자들은 안정적으로 양성되고 생태계 내 진입하고 있는가?

매개자는 생산자와 소비자를 이어주는 역할이다. 기획자, 활동가라는 이름으로 활동하면서, 생산자와 소비자를 이어주거나, 새로운 형태의 플랫폼들을 만드는 역할을 하기도 한다. 생산자나 소비자의 위치에 있다가 적극적인 문화매개자의 역할을 수행하는 경우도 있다. 여기서 매개자는 기획자, 활동가 외에도 문화예술을 연구하거나 비평, 기록하는 등 다양한 분야의 종사자들이 포함될 수 있다.

전문적인 매개자 양성기관이 따로 있는 것은 아니다. 자신이 문화애호가여서 매개활동을 시작하는 경우도 있고 학부나 대학원에서 예술경영 등을 공부하거나 스스로 예술가에서 매개자로 전직(?)하는 경우도 있다. 과거에 비해 새로운 매개자층은 진입과정이 어느 정도 존재하고 있다. 청년문화기획자, 지역문화전문인력 등 문화예술 관련 기획 인력과정에서도 청년 매개자들이 양성되고 있다.

청년문화기획자로서의 매개자 외 지역과 마을에서 활동하는 매개자들은 충분치 않은 편이다. 고령화 사회로 진입하면서 50플러스 세대들이 지역에서 충분히 문화매개자로 활동이 가능한데 그들을 위한 양성과정은 아직 부족한 편이다. 마을에서 서로배움과 서로도움에 기반한 문화활동을 만들어갈 역할을 수행할 수 있는 역량을 갖춘 이들을 위한 양성과정이 필요하다

매개자들은 지역 문화생태계에서 안정적으로 존재하고 있는가?

매개자들은 역할의 중요성에 비해 처우는 불안정하다. 기획역량을 살려 새로운 장을 만드는 적극적인 역할을 수행하는 기획자 집단도 있다. 그러나 지역에서 전문 기획자, 매개자로 살아가기 위해서는

공공문화기관에 들어가는 방법 외에는 예술가와 같은 배고픔을 각오해야 할지도 모른다.

지금까지 문화재단이나 공공 지원금은 기획자에게 인색한 편이었다. 기획자 인건비 책정에도 인색했고, 예술가들도 기획자라는 존재는 서류대행자라는 의미로 받아들이는 경우가 많았다. 지원금 사업에서 기획자들의 비중을 늘리는 것도 필요하다.

앞서 언급한 마을문화매개자가 양성된 이후 마을에서 전방위적인 활동을 할 수 있는 기반이 있는가? 지난 해 살고 있는 마을 주민센터에서 까페 옥상을 공유공간으로 기증해주신 주민분이 이 곳에서 문화행사를 하고 싶다고 하셔서 이야기를 나눈 적이 있다. 아이들과 함께 프리마켓 같은 걸 하고 싶은데 어떡해야 할지 모르겠다 하셨다. 프리마켓은 지역 초등학교와 연계해서 추진하고, 마을 내 예체능학원도 연계해서 문화공연이나 전시도 같이 하면 어떻겠냐 아이디어를 드렸다. 실제로 잘 추진하셔서 마을 아이들이 참여하는 작은 프리마켓이 개최되었다. 작은 행사부터 유휴공간의 활용까지 마을 문화매개자가 지역에서 할 수 있는 일은 다양하다. 그러나 이 판을 짤 수 있도록 공공영역에서 적극적으로 함께 협업해야 할 필요가 있다.

4. 맺음말 - 선순환적 문화생태계를 위한 열린 결말

기초단위의 문화생태계 구축부터 시작해야 한다

현재 부산에 있는 기초문화재단은 금정구 1곳이다. 금정문화재단의 시도는 여전히 진행 중이지만, 구 단위에서 바라본 문화생태계는 구체적인 처방이 나올 수 있는 가능성이 높다. 생산자, 향유자, 매개자의 실체가 확인 가능한 기초단위에서는 실제적으로 세 주체 간 선순환적인 관계를 만들 수 있다. 성북문화재단의 공유성북이 참가자 인사하는데만 6개월이 걸렸다는 무용담에서 시작해서, 오늘날 300명이 넘는 참가자들과 함께 협동조합, 공간위탁운영, 축제기획 등의 지역기반 예술활동을 활발히 수행하는 현재의 형태를 갖춘 것은 생활권 내에서 생태계 각 주체가 실체로 보였기 때문일 것이다. 2020년에는 부산진구 문화재단이 출범할 예정이고, 문화재단 설립을 긍정적으로 고민하는 기초지자체들도 일부 있는 것으로 알고 있다. 문화재단이 지자체 행사 대행사로 전락하는 것을 구조적으로 방지하면서 제대로 지역 내 문화생태계 구축의 핵심이 되도록 지역사회의 논의가 필요하다.

문화재단에서 해야 할 일들

문화재단은 부산지역 문화생태계에서 가장 중요한 매개기관이다. 생산자와 소비자를 이어주고, 공공과 민간을 이어주고, 문화예술영역과 비문화예술영역을 이어주는 역할을 수행한다. 문화재단이 무슨 일을 하는 기관인지 모르겠다는 모호함이 바로 역할의 방대함 때문이 아닐까 싶다. 하는 일은 시대적 과업에 따라 변화하고 확장할 수 밖에 없다. 그렇다면 문화재단이 선순환적 문화생태계 구축을 위해 가져야 할 태도는 무엇일까?

협업과 협력의 태도 : 재단이 수행하는 사업에서 반드시 고려되어야 하는 지점은 누구와 일할 것인가?이다. 어떤 일을 할 것인가에 앞서 누구와 파트너십을 맺으며 사업을 수행할 것인지 고민하는 태도를 통해 지역 문화생태계에 지속가능하고 의미있는 역할을 수행할 수 있을 것이다.

다음 스텝을 고민하기 : 생산자, 향유자, 매개자를 지역에 뿌리내리는 정책과 사업을 수행하면서 사업 수행 후 이들은 다음 단계로 어떤 사업에 참여할지, 어떻게 후속조치가 이뤄질지를 고민한다. 생태계는 관계의 문제이고, 단계의 문제이기 때문에 지원사업의 구조화가 필요하다.

부산 문화의 까리함 찾기 : 우리는 부산 문화예술을 까리하다라고 생각하고 있을까? 2의E승과 E의 E승을 구분하는 억양의 위대함과 같은 부산 문화의 까리함을 어떻게 우리 스스로 느끼게 할 것인지 고민해야 한다. 지역에 뿌리를 둔 문화예술이 지역에서 꽃피울 수 있도록 부산 문화예술의 유니크함을 살릴 수 있어야 한다.

Ⅱ

1. 1. 문화예술관련 법과 제도 영역의 문제점과 개선방안
   2. 문재인 정부의 지역문화정책 토론문
   3. 부산의 생활문화 정책현황과 과제

2. 문화예술관련 법과 제도 집담회 : 지속가능한 문화예술 생태 종합 플랫폼 조성을 위하여

3. 의제 제안

문화예술관련 법과 제도 영역의 문제점과 개선방안[1]

●

서영수

1. 들어가는 말

대한민국 문화예술진흥의 법률적 출발은 제3공화국 말기인 1972년「문화예술진흥법(법률2337)」이 제정되고 1973년 7월부터 공연장 및 사적지 입장료에 문화예술진흥기금이 부과되었고 그해 10월 한국문화예술진흥원이 개원하면서 시작되었다. 이후 반세기에 가까운 세월을 거치면서 근래에 제정된 문화예술교육지원법(2005), 예술인복지법(2011), 문화기본법(2013), 지역문화진흥법(2014), 국제문화교류진흥법(2017)에 이르기까지 문화, 예술, 문화예술교육, 문학, 인문학, 문화산업, 영상, 국어, 콘텐츠, 출판, 인쇄, 공예, 박물관 및 미술관, 도서관, 대중문화예술, 문화다양성 등 20여개가 넘는 법률이 제정되어 시행되고 있다. 이러한 다양한 법과 제도가 각각의 영역에서 정책을 생산

1. 이 글은 문화 분권과 자치실현을 위한 지역문화재단 정책포럼(2018. 1. 31. 세종시 싱싱문화관)에서 발표한 발제문으로 지난 시간의 경과에 따라 세부내용이 다소 차이가 있을 수 있으나, 전체적으로 주장하는 기조에 대해서는 여전히 유효합니다.

하고 시행 전담기관을 설립하여 사업을 설계하고 예산을 집행하는 구조로 예술인을 포함한 국민들의 일상생활 속에서 창작과 향유, 관광과 문화산업의 전반에 걸쳐 삶의 질을 높이고 문화강국을 만드는 국가문화행정의 제도적 기반을 형성하고 있다.

특히 2013년에 제정된 「문화기본법」은 국가 발전과 국민 개개인의 삶에서 문화의 중요성과 가치가 사회 전반에 확산되도록 국가와 지방자치단체의 역할을 명시하고, 국민 개개인의 문화 주권과 다양성, 자율성, 창조성의 실현을 법적으로 선언하고 있다는 측면에서 기존의 모든 법률의 모법 역할을 하는 중요한 법률로 평가되고 있다. 또한 「지역문화진흥법(2014)」은 오랜 기간 국가주의적 문화행정 체계에서 수혜의 대상으로 여겨졌던 "지역문화"의 중요성과 실체를 인정하고 미흡하나마 지역 주체의 문화진흥을 위한 법적 근거를 만들었다는 점에서 중요한 가치를 가지고 있다. 역대 어느 정부에서도 볼 수 없었던 '문화융성'을 3대 국정지표의 하나로 설정하고 대통령 소속 위원회로 문화융성위원회를 운영했던 박근혜정부에서 「문화기본법」과 「지역문화진흥법」이 만들어졌으나 헌법에 보장된 국민의 기본권인 표현과 창작의 자유를 국가기관을 동원한 불법 블랙리스트로 탄압하고 비선실세 국정농단의 주 무대가 문화체육관광부가 되었다는 점은 엄정하게 법을 집행해야 할 행정기관과 법률의 모순을 보여준 참담한 사례로 역사에 기록될 것이다. 모든 실정법에 최우선하는 헌법적 가치와 질서를 무시하고 사회공동체의 혼란을 초래하고 법위에 군림한 대통령이 탄핵되는 것은 당연한 일이다. 이처럼 법과 현실의 괴리와 모순이 발생할 때는 법이 가지는 도덕적 규범과 강제력이 상실되고 많은 사회적 혼란을 초래한다. 법은 그 존재 자체로 의미를 가지는 것이 아니라 정치와 행정시스템을 통해 작동하여 사회적 합의를 획득하고 안정적으로 운영될 때만이 법적 가치와 권위를 유지하는 것이다.

이 글에서는 다양한 문화예술 관련 법률들에 대한 개별 해석과 미시적 접근보다는 전체적으로 관련 법률들이 가지는 일반적인 문제점에 대한 거시적 접근을 통해 현행 관련 법률에 기초한 정책과 사업들이 현장에서 실행될 때 어떤 문제들이 나타나는지에 초점을 맞추고자 한다. 문화예술 관련한 법률들이 동시대의 다양한 현장의 요구와 이해를 반영하지 못하고 있고 법의 집행체계인 행정시스템을 통해 왜곡되고 경직되게 실행되는 문제가 일상화되어 있다면 전면적으로 법의 체계를 다시 정비하는 작업이 반드시 필요하다.

2. 문화예술관련 주요 법안의 내용

■ 문화예술진흥법(1972)

제 1조(목적) 이 법은 문화예술의 진흥을 위한 사업과 활동을 지원함으로써 전통문화예술을 계승하고 새로운 문화를 창조하며 민족문화창달에 이바지함을 목적으로 한다.

- 총칙 : 목적, 문화예술, 문화산업, 문화시설, 문화이용권의 정의, 시책과 권장
- 문화예술 공간의 설치 권장 : 전문인력양성, 전문예술법인단체

지정육성, 건축물 1%미술품

- 문화예술복지 증진 : 장려금 지급, 문화강좌 설치, 학교등의 문화예술 진흥, 문화산업의 육성지원, 도서문화전용 상품권 인증제도, 장애인 문화예술 활동지원, 문화소외계층 문화예술복지 증진시책, 문화이용권의 지급관리
- 문화예술진흥기금 : 기금설치, 문화예술진흥기금 조성, 용도
- 한국문화예술위원회 등 협의체 구성, 예술의 전당, 한국문화예술회관연합회

제36조(협의체의 구성) 위원회, 「지역문화진흥법」 제19조에 따른 지역문화재단 및 지역문화예술위원회는 지역문화예술을 진흥하기 위한 협의 및 조정을 위하여 상호 협의체를 구성 운영할 수 있으며, 협의체의 구성 등에 관하여 필요한 사항은 대통령령으로 정한다.[개정 2014.1.28. 제12354(지역문화진흥법)][[시행일 2014.7.29.]]

제41조(권한의 위임 · 위탁) 문화체육관광부장관은 이 법에 따른 권한의 일부를 대통령령으로 정하는 바에 따라 시 · 도지사에게 위임하거나 위원회, 그 밖의 문화예술단체에 위탁할 수 있다.[개정 2008.2.29. 제8852호(정부조직법)]

■ 지역문화진흥법(2014)

제정이유 : 현행법 체계에서는 「문화예술진흥법」, 「지방문화원진흥법」 등의 법률에 지역문화에 관한 사항이 단편적으로 규정되어 있어 지역문화 진흥 정책을 체계적으로 추진하는 데 어려움이 있는바, 지역문화 진흥에 관한 종합적 · 기본적 법률을 제정함으로써 지역 간

문화격차를 해소하고, 지역주민의 문화생활 향상을 도모하며, 지역 고유의 문화자원 활동을 통해 지역경쟁력을 제고하고자 함.

제1조(목적) 이 법은 지역문화진흥에 필요한 사항을 정하여 지역 간의 문화격차를 해소하고 지역별로 특색 있는 고유의 문화를 발전시킴으로써 지역주민의 삶의 질을 향상시키고 문화국가를 실현하는 것을 목적으로 한다.

- 목적, 지역문화, 생활문화, 문화예술, 문화시설, 생활문화시설, 문화도시, 문화지구, 지역문화전문인력의 정의
- 지역문화진흥 기본원칙 4항, 지역문화진흥기본계획 수립,
- 생활문화 지원, 생활문화시설의 확충 및 지원, 문화환경 취약지역 우선지원 등
- 지역문화전문인력 양성, 지역문화실태조사, 협력활동 지원, 지역문화진흥 자문사업단
- 문화도시심의위원회 설치, 문화도시 지정, 문화지구 지정관리
- 지역문화재단 및 지역문화예술위원회 설립과 지원, 지역문화진흥기금 조성

제23조(권한의 위임 및 위탁) 문화체육관광부장관은 이 법에 따른 권한의 일부를 대통령령으로 정하는 바에 따라 지방자치단체의 장에게 위임하거나 지역문화진흥 관련 단체에 위탁할 수 있다.

■ 문화기본법(2013)

- 목적, 기본이념, 정의, 국민의 권리(문화권), 국가와 지방자치단체의 책무

• 문화정책 수립시행상의 기본원칙, 문화진흥 기본계획의 수립 등
• 문화 진흥을 위한 분야별 문화정책의 추진 11개항
• 문화 인력의 양성 등 문화진흥을 위한 조사연구와 개발
• 한국문화관광연구원 설립
• 문화행사, 문화의 달 및 문화의 날 행사와 문화가 있는 날 지정 운영
• 문화진흥사업에 대한 재정 지원 등

■ 예술인 복지법(2011) : 한국예술인복지재단 설립 등
■ 문화예술교육지원법(2005) : 한국문화예술교육진흥원 설립 등
■ 문체부 산하 공공기관(비법정) : 예술경영지원센터(2006), 지역문화진흥원(2017)(구 생활문화진흥s원, 2016)

3. 문화예술관련 주요 법안의 문제점

역대 여러 정부에서 만들어진 문화예술 관련 다양한 법률들이 당시의 사회적 요구와 필요에 의해 수시로 만들어지다 보니 각 법률들의 위상과 역할, 기능이 매우 분절적이고 파편화되어 있다는 점과 최초 법률제정 이후 사회적 변화를 수용한 개정안과 부칙들의 땜질식 처방으로 각 법률들의 연관성과 정합성이 떨어진다는 점도 큰 문제로 지적되고 있다. 급변하는 사회 환경과 정보기술의 발전이 가져온 사회문화적 패러다임의 변화와 문화적 다양성의 확산과 한층 높아진 문

화적 서비스를 기대하는 국민들의 기대에 부응하고자 한다면 장기적인 계획을 가지고 현행 모든 법률들을 재검토하여 새로운 법적 체계 수립에 착수해야 한다.

기존의 문화예술 관련 법률들이 거의 대부분 입법과 법률 시행에 있어서 공급자 중심방식, 수직적 전달체계, 폐쇄적 행정 칸막이와 부처 이기주의, 중앙과 지역의 이원화, 민간의 자율성을 수용하지 못하는 규제방식의 법안이라면 새로운 시대적 문화적 요구를 담아내기 위해서는 공급자 방식에서 플랫폼 방식으로, 수직적 체계에서 네트워크 체계로, 획일적 방식에서 다양성 방식으로, 중앙 관점에서 지역관점으로 분권과 자치를, 팔길이 원칙에서 협치적 파트너십으로 전환하는 패러다임의 변화를 새로운 법률에 반영하는 방향으로 나가야 한다.

■ 문화예술, 지역문화, 예술인 복지, 문화예술교육 등 각 법률의 분산과 파편화

- 국가 단위 지속가능한 선순환 문화예술생태계에 대한 통합적 정책 부재
- 국가주의적 관점의 중앙집권적 문화행정의 폐해가 지역으로 고스란히 전가되는 구조

■ 산재한 문화예술 법률들이 퇴행적 관료주의 문화행정을 뒷받침하는 근거로 작용

- 법정 기관이 문체부 각 실국 관료시스템의 하청 집행기구로 기능함으로서 자율성 상실

• 칸막이 문화행정과 정책사업의 연계 부족으로 인한 행정력과 예산 낭비 심화

■ 법과 행정체계에 근거한 Top down 사업으로 예술행정의 자율성과 창의성 침해

• 문체부 및 산하기관들의 각종 공모사업 남발로 지역문화의 황폐화와 자생력 저하
• 민관 협치 및 예술인과 예술단체들의 협력과 연대를 지원하기 어려운 사업구조
• 국민과 예술인을 직접 대면하는 광역 · 기초재단, 문화원 등이 상호 협력의 어려움

4. 문화예술관련 법과 제도 영역의 개선방안

■ 지속가능한 문화예술생태계 구축을 위한 유사 법률 통합

• 문화기본법을 모법으로 하여 문화분권과 자치, 문화민주주의, 문화거버넌스의 가치와 원칙이 실현되는 체계로 기존 문화관련 법률 통폐합 추진
• 문화진흥법 : 지역문화진흥법 + 문화예술교육 지원법 + 인문학 진흥에 관한 법률 통합
• 예술진흥법 : 예술인 복지법 + 문화예술진흥법 + 문학진흥법 + 예술경영지원센터 통합

• 문화산업진흥법 : 문화산업진흥기본법 + 영상, 콘텐츠, 출판, 인쇄, 공예, 대중문화 등 통합

■ 문체부의 위상과 역할 재구성

• 문체부는 국가 문화행정의 콘트롤 타워이자 플랫폼 기능 수행
• 문체부 직접 사업 산하 기관과 지역으로 이관
• 정부 타 부처와 협력 강화 및 국가 단위 문화예술의 사회적 가치 확산
• 국가단위 사업 추진 : 관련 법제도 정비, 국가문화정책 수립, 예산 및 기금의 확보, 국가문화시설 및 기관관리, 통계 및 연구개발, 국가 문화행사 및 국제행사 개최, 대국민 캠페인 등

■ 각 법률에 근거한 문체부 산하 기관들의 통합 추진으로 국가문화행정 혁신

• 지속가능한 문화예술생태계를 구축하기 위한 각 영역의 플랫폼 기능으로 재편
• 문화 + 예술 + 문화산업의 선순환 구조로 지속가능한 문화생태계 구축
• 문체부와 협력하여 실제적인 권한과 예산 확보로 전문기관으로서의 위상정립
• 지역을 대상으로 하는 정책 사업에 대한 포괄적 권한과 예산을 지역으로 이관
• 정책 사업에 대한 평가, 컨설팅, 환류를 통해 지역과의 실질적

협치 시스템 운영

- 법정기관들의 독임제 운영을 탈피해서 민간 전문가 중심의 개방형 위원회 조직운영
- 한국예술위원회 : 예술인 창작지원 + 예술인 복지 + 예술시장 활성화 등
- 지역문화위원회 : 문화향유 + 문화복지 + 문화예술교육 + 지역문화 등
- 문화산업위원회 : 문화콘텐츠 + 영화영상 + 출판 + 인쇄 + 공예 등

※한국예술위원회의 국가 독립기구화 논의는 별도

■ 지역문화의 거점으로서 광역 · 기초재단의 위상과 역할 재정립

- 분권과 자치의 시대에 부응하는 지역주도의 문화행정 구현하는 플랫폼 기관으로 위상정립
- 공급자 방식에서 플랫폼 방식으로 전환하고 민간이 사업의 주체가 되도록 지원시스템 개편
- 정책의 목표가 창작(생산), 유통(매개), 향유(소비)의 생태계 구축으로 지역단위의 민간 주도 문화예술시장이 형성되어 자생력이 지속가능하게 하는 것으로 사업 설계
- 4차 산업의 정보기술을 활용한 지역 문화예술종합정보 포털 구축하여 전국 단위 호환 활용
- 단순 공모사업의 틀을 깨고 지역의 민간 문화예술 네트워크와 동등한 권한과 책임으로 협치적 파트너쉽 형성

- 민간이 잘 할 수 있는 사업들은 민간 네트워크를 형성해서 점진적으로 사업 이관 추진
- 중앙과 지방정부와의 협의를 통하여 위탁 사업비를 포괄적 출연금 예산으로 바꾸어 지역재단의 자율성과 독립성 강화
- 중앙과 지방정부와의 창조적 긴장관계를 형성하고 삶의 현장에 있는 시민과 예술인의 목소리를 끊임없이 전달하는 책임감과 전문성으로 자치역량 강화

5. 나오는 말

법은 동시대 사회공동체의 안정과 질서 유지를 위한 다양한 기능을 수행하지만 동시에 변화하는 시대의 흐름을 따라가지 못하는 보수성을 강하게 지니고 있다. 문화예술 관련 법률들은 법의 강제성에 기초한 제재와 규제의 기능도 있지만 타 법률에 비해 상대적으로 활동 촉진 기능과 자원배분의 기능이 더 강한 속성을 가지고 있다. 문화예술 진흥을 위한 다양한 법률들의 순기능과 역할에도 불구하고 동시에 급변하는 사회문화적 환경에 능동적인 대응을 못하는 역기능과 부작용도 나타나고 있다. 특히 1972년에 제정된 「문화예술진흥법」은 국가적 관점에서 문화예술을 진흥하기 위해 예술작품을 대상으로 선별적 직접 예산 지원을 기본으로 하기 때문에 심사의 공정성과 작품의 수월성에 대한 견해, 재원배분에 있어서의 형평성 문제로 한계가 있을 수밖에 없는 제도이다.

예술창작 영역의 예술작품에 대한 예산지원이 창작 환경을 조성하는 기본적인 토대를 이루고 있음에도 불구하고 예산의 한계와 심의 과정과 결과에 대한 불만이 누적되면서 예술단체 스스로 자생력이 저하되는 부작용이 심각하게 나타나고 있다. 또한 문화향유 영역에서는 국민 여가문화의 대다수가 영화 관람 및 TV시청으로 나타나고 기초예술에 대한 정보와 접근성 부족, 빈약한 홍보마케팅과 구매력 있는 예술시장의 부재는 국민들의 기초예술에 대한 괴리감을 증폭시키고 대다수 예술인들의 자생력 저하와 빈곤의 악순환으로 이어져 문화정책 전반에 대한 불신으로 나타나고 있다. 공적 지원금을 마중물로 하되 지원금에 대한 의존도를 점점 줄이고 자생력을 높이는 지원제도는 창작(생산)–매개(유통)–향유(소비)로 이어지는 예술시장의 재생산 구조를 확립하는 정책 목표를 명확히 해야 한다. 따라서 현행 문화예술 관련 법률들은 문화, 예술, 문화산업의 세 영역으로 정리하고 통폐합하여 문화기본법을 모법으로 문화분권과 자치, 문화민주주의, 문화거버넌스의 가치와 원칙이 실현되는 체계로 개정되어야 한다. 이러한 지속가능한 선순환 문화예술생태계를 구축하는 정책을 뒷받침하는 문화예술 관련 법률은 통합성과 연계성, 정합성과 순환성을 담보하여 국가문화정책과 문화행정의 튼튼한 주춧돌이 되어야 할 것이다.

문재인 정부의 지역문화정책 토론문[1]

서영수

1. 새 정부와 문화예술

문재인 정부는 국민의 나라 정의로운 대한민국을 실현하기 위한 주요 키워드로 복지, 일자리, 지역분권을 제시하고 있다. 복지와 일자리 공약은 이전이나 이후 정권에서나 가장 중요하게 여기는 국민들의 일상과 민생에 직결되는 분야로 인식되고 있으며 지역분권에 관한 문제는 여전히 논란과 저항이 많은 분야로 향후 지역에서 가장 주목하고 견인해야 할 국정 과제이며 문화예술과 밀접한 관계를 가지고 있다.

새 정부는 "지역이 살아야 나라가 산다"라는 말이 단지 듣기 좋은 수사가 아니라는 것을 누구보다 잘 알고 있을 것이다. 참여정부의 최대 국정과제였던 지역균형발전을 원하던 방향으로 추진하지 못한 실

1. 이 글은 전북민예총 문화정책 대토론회(2017. 9. 15. 전주 최명희 문학관)에서 발표한 토론문으로 지난 시간의 경과에 따라 세부내용이 다소 차이가 있을 수 있으나, 전체적으로 주장하는 기조에 대해서는 여전히 유효합니다.

패의 경험을 바탕으로 헌법 제1조에 지역분권을 명시하고자 할 정도의 가치부여와 의지를 보이고 있다. 국정 전반에 걸쳐 역대 어느 정부보다도 새 정부는 국민이 원하는 방향으로 촛불혁명의 염원을 실현할 것이라는 기대와 희망을 주고 있다. 그러나 문재인 정부는 시민촛불혁명의 결과로 탄생한 정부이지만 촛불을 든 국민들의 기대를 완벽히 충족시킬 만큼 준비되어 있는 완벽한 정부는 아니다. 박근혜 정부의 말도 안 되는 국정농단과 상식이하의 무능함에 궐기한 시민들의 분노와 시위의 결과로 탄생한 정부이고 선거를 통한 권력교체의 시점에 대안 권력으로 구성할 수 있는 시민사회와 야권의 최대 공약수가 문재인 정부였다.

문재인 정부는 일자리 정부를 표방하고 있다. 문화융성을 3대 국정과제로 내세웠던 박근혜 정부의 실패와 트라우마를 반면교사 삼아 문화예술과 적절한 거리를 둘 것이고 블랙리스트 적폐청산의 성과 아래 문화예술은 일자리와 연계시켜 적당한 실적을 만드는데 그칠 것으로 보인다. 왜냐하면 새 정부 출범 이후 지금까지의 행보를 보면 문화예술의 혁신과 발전에 대한 철학과 비전은 고사하고 문화예술에 대한 관심이 별로 없어 보인다. 민예총 출신의 국회의원을 문화체육관광부 장관으로 임명한 이후 공정성을 우려한 장관의 민예총 탈퇴, 박근혜 정부에서 임명한 문체부 산하 기관장들의 임기 보장, 2018년도 문화예산 8.2% 삭감 등 일련의 흐름들은 새 정부 문화정책과 행정이 여전히 국가주의, 관료주의 틀을 벗어나지 못하고 있고 문화예술 혁신 의제와 집행을 위한 제도적 기반과 시스템 구축의 움직임은 보이지 않는다. 일반적으로 정책 혁신의 바로미터는 인사와 예산인데 지난 대선 과정에서 여러 경로로 선거에 개입했던 퇴직 관료들과 보수 문화예술계를 중용하고 아우르면서 올바른 문화예술정책과 문화행정 혁신을 하겠다는 것이 말이 되는 이야기인가.

2. 지역의 현실과 과제

이미 오래전에 만들어진 서울공화국이란 괴물이 이제는 더 커져서 서울뿐만 아니라 인천, 경기, 강원, 충청권(세종)까지 집어 삼키는 식욕을 과시하고 있다. 광역권 교통인프라 개설에 따른 속도와 시간의 단축, 정보 전달과 공유의 양과 속도, 수도권 인구의 거주지 확장 및 부동산 시장 등을 보면서 지극히 개인적인 생각으로 그렇다는 말이다. 갈수록 자본과 권력의 독점현상이 강화되고 심화되면서 대한민국 고유의 정체성과 다양성이 사라져가고 대외 경쟁력은 점점 약화되는 것이 지금의 현실 아닌가.

발제문의 결론 부분을 발췌하면 아래와 같이 정리할 수 있고 지역문화의 관점과 주체, 문제와 방식의 혁신에 대한 발제자의 오랜 경험과 고민의 결과에 대해 절대적으로 동의한다.

> 지역문화정책 수립의 주체는 지역이 아니라 중앙정부였다. 지역문화정책은 중앙정부(문화체육관광부)의 지역정책이었다. 그래서 지역문화정책은 중앙정부가 바라보는 지역의 문화정책이었다.
>
> 정권의 공약과 정책에 맞춰 제도와 법을 만들고 그 안에서 기관

과 기구를 설립하여 지역에 재원배분하는 방식이었다. 지역은 바뀐 정책에 수동적으로 대처하는 식으로 존재해왔다. 지역문화정책은 지역의 문화정책이 아니라 지역정책+문화정책이라는 것을 깨달았다. 분권과 자치 없는 지역문화정책은 허구라는 것을 알았다.

정책 의사결정의 들러리가 되는 협치 말고 정책 의사결정에 직접 참여하는 직접민주주의, 숙의민주주의를 확장시켜 나가자. 그러기 위해선 자문에 만족하지 말고, 우리 스스로 정책 단위가 될 수 있도록 힘과 역량을 키워 나가자. 정보 공유하고 학습과 토론을 게을리 하지 말자. 그리고 정책 단위를 육성해 나가자.

지역을 호명하는 것이 아니라 지역이 스스로 주체가 되어 문화를 고민하고 사유하여 의사결정을 해야 한다는 것이다. 문화의 입장에서 지역을 소환하고 호명하는 것이 아니라 지역의 입장에서 문화를 재발견하고 재구성하여 재정립하는 것이다.

문화부가 법정계획을 수립하고 예산부처로부터 재원을 배정받아 지역에 배분하는 방식에서 탈피하여 지역정부가 법정계획의 기본과 방침을 수립하고 문화부는 이를 조정하여 중앙정부와 예산부처를 설득하여 재원과 제도를 만들어야 하는 것이다. 위치와 기능의 역전이다.

지역의 분권과 자치 없이는 지역문화정책의 독립성과 자율성은 요원하다. 지역문화재단의 독립성과 자율성은 중앙정부로부터의 독립이자 지역정부와의 새로운 투쟁이다. 지역정부와의 투쟁은 지역의 문화예술단체와 연대해서 풀어야 될 과제이다. 이 과정에서 중앙정부는 오히려 연대의 대상이 될 수도 있다. 지역정부의 보수성에 대해서 중앙정부의 개혁적 진보성은 오히려 활용할 수 있는 자원이 될 수도 있다. 다만 방식은 다양성을 인정하고 유연하게 적용하자. 피폐해진 현장을 복원하고 무너진 조직을 재건하는 일은 쉽지 않을 것이다. 담론을 만들고 조직을 재건하여 현장 활동을 강화하는 일을 위해서 우린 다시 한 번 모여야 한다.

– 김기봉 발제문 일부

결론적으로 지역문화예술의 발전은 지역이 주체가 되어 지역분권과 자치의 제도화를 통해 지역 스스로의 혁신을 이루어야 한다는 것이다. 지역을 대상으로 하는 국가문화정책의 대표적인 몇 가지 사례를 살펴보자.

기초예술정책의 영역은 대개 창작, 매개, 향유 분야로 구분되고 예술인과 시민들에 대한 직접 또는 간접적인 지원으로 나누어지고 전달체계는 문화체육관광부 기획–산하 기관 실행–지역 시도 및 광역 기초재단–예술인 및 시민으로 이루어지고 있다. 짧게는 수년에서 길게는 수십 년 동안 시행된 많은 사업들이 지역의 문화예술이 성장하는데 긍정적인 역할을 한 것도 사실이지만 과연 이러한 공급자 방식의 정책과 사업이 앞으로도 여전히 유효할 것인가 하는 질문과 개선의 필요성이 강하게 제기되고 있는 것도 엄연한 현실이다.

1) 지역특성화문화예술지원(한국문화예술위원회)

– 지역 문화예술인들의 일년 농사를 좌지우지하는 창작지원금

- 단년도 공모심사의 단점 및 한계로 인해 탈락해도, 받아도 지원금이 적어서, 정산 때문에 불만, 예술인의 자생력을 저하시키는 부작용 지속 발생
- 무대예술 및 전시 분야 창작물의 시장실패와 대시민 접근성 제고에 대한 인프라 구축 등의 대안 부재
- 무료 및 초대권 남발로 예술가치 하락과 예술시장의 붕괴로 인해 예술인 빈곤의 악순환과 불만 팽배
- 예술생태계(생산–유통–소비–재생산)의 선순환과 지속가능성에 대한 정책과 사업 부재로 직접예산 지원과 개별사업 치중으로 사업효과 반감
- 영화에 비해 기초예술장르의 대시민 정보, 접근성, 홍보마케팅, 노출이 절대적으로 부족하여 예술인의 재생산 기반 취약
- 지금까지의 지원정책의 촛점이 직접 예산지원에 국한되었지만 향후 유통과 소비를 위한 온오프라인 인프라 구축을 위한 간접지원 확대 필요

2) **통합문화이용권**–문화누리카드(한국문화예술위원회)

- 광역재단 단일 사업 중 가장 큰 예산(문화바우처)
- 비정규직 양산하는 위탁사업
- 영화, 도서(참고서) 소비 비중이 커서 지역에 기여 적음
- 지역 문화예술 상품을 소비하게 하는 설계 필요

3) **문화예술교육사업**(한국문화예술교육진흥원)

- 학교예술교육(예술강사), 사회예술교육(꿈다락, 지특교육)
- 비정규직 양산하는 위탁사업
- 예술강사 고용 및 처우에 관한 갈등 고조
- 예술교육단체들의 영세성과 지역 자체의 예술교육사업 부재

4) 생활문화 활성화(생활문화진흥원)
- 지역대상 공모로 생활문화센터 조성사업, 소규모 생활문화행사 공모, 전국생활문화제 개최
- 생활문화센터는 시도-구군을 통해 진행되어 재단이나 생활예술인 거점으로 활용 어려움
- 지역과 연계되는 구체적이고 규모 있는 사업 없음

5) 예술인 복지사업(한국예술인복지재단)
- 초기에는 수도권 중심으로 사업과 수혜자가 편중되어 지역과 별 관계가 없었으나 최근 지역의 광역재단에서 예술인복지지원센터를 설립하여 예술인등록 및 정산이 필요없는 창작지원금을 신청하고 수령하는 과정에 대한 홍보와 지원을 적극적으로 추진하고 있으며 한국예술인복지재단에서도 공모라는 한계에도 불구하고 지역의 비중을 점차 확대하고 있는 추세임.

3. 문화예술의 분권과 자치

지역분권과 자치의 관점에서 국가주의와 관료주의를 극복하면서 개방, 소통, 공유, 협력의 가치를 실현하는 지역의 지속가능한 문화예술생태계를 복원하는 정책을 민관이 협력하여 만들어야 한다. 기존의 국가 문화정책과 사업들이 가지고 있는 문제들을 해결하기 위해서는 사업을 몇 개 보태고 빼고 하는 것이 아니라 정책수립과 전달체계의 기초와 근본에서부터 변화와 혁신을 가져와야 하고 과감히 체질을 개선하는 방향으로 나아가야 한다.

예산과 자원의 배분 권한을 가진 정치와 관료사회의 오래 병폐인 국가주의, 단기 성과주의, 승진을 위한 실적주의, 탑다운 방식, 인허가와 통제를 극복할 수 있는 유일한 방안은 민간의 역량을 극대화시켜 끊임없이 정치와 관료사회에 개입하고 간섭하여 민간이 원하는 방향으로 견인하는 것이다. 그래서 우리는 국민이 주인이라고 외치는 새 정부에 당당히 우리의 요구와 의견을 적극적으로 개진해야 한다.

문화체육관광부와 산하 기관들이 지역을 대상으로 하는 정책과 예산에 따른 권한과 책임까지도 대폭 지역으로 이양하여 지역분권의 국정기조를 실천하라고. 동시에 지방자치단체와 지역재단들이 가지고 있는 사업들도 민간이 더 잘할 수 있는 일은 대폭 민간에게 이양하라고. 민간예술단체들은 더 이상 정책과 사업의 대상이 아니라 국민 속에서 사업을 실행하는 주체가 될 수 있는 능력과 시스템을 만들어야 한다.

건강하고 지속가능한 문화예술생태계를 구축하기 위해서 문화예술인들은 무엇을 할 것인가. 예술인들의 연대와 협력 네트워크를 구성하여 예술작품의 생산-유통-소비-재생산을 위한 시민들을 일상적으로 만나는 예술시장을 형성하는 환경과 인프라 구축사업을 시작해야 한다. 창작을 위한 연습과 공연장 및 전시장과 연계된 예술창고 및 수장고 건립, 공유문화에 기반한 문화예술정보플랫폼 구축, 문화예술가치 확산을 위한 공익캠페인 및 사회적 협약 등을 민관의 협력으로 추진해야 한다.

또한 예술인들은 도시계획 및 건축가들과 연대하여 문화예술기반 도시재생사업, 생활문화 동아리들과 연대하여 마을단위 생활문화사업, 사회단체들과 연대하여 문화다양성 사업, 사회복지단체들과 연대하여 문화복지사업, 교육단체들과 연대하여 문화예술교육사업, 관광기관과 연대하여 문화예술기반 관광 사업으로 문화예술 활동의 콘텐츠와 영역을 확장해야 한다.

시민들이 예술가들에게 말하고 있다. 너희들끼리 놀지 말고 일상이 행복한 사회, 예술로 행복한 사회를 만들기 위해서는 지역의 정체성을 특화시키고 시민들의 일상 속으로 깊이 들어가는 문화예술 활동이 필요하다고 말이다.

부산의 생활문화 정책현황과 과제[1]

●

서영수

1. 생활문화의 시작

최근 문화예술계에서 회자되는 말들 중에 하나가 '생활문화'이다. 생활문화는 '생활'이라는 단어와 '문화'라는 단어의 합성어이다. '문화'라는 단어는 그 의미와 개념이 워낙 넓어서 협의의 의미, 광의의 의미로 구분하며 온갖 사회현상에 문화라는 말을 덧붙여 사용하고 있는데다 '생활'이라는 단어도 그에 못지않은 의미의 확장성과 일반성을 내포하고 있어 이 둘의 조합은 그야말로 살아있는 생명체가 경험하는 모든 문화적 활동을 담아내는 사회적 의미를 지니고 있다. 생활문화에 대한 이해는 필수적으로 지역문화에 대한 이해와 궤를 같이 한다. 2014년에 제정된 「지역문화진흥법」은 기존 국가주도의 문화예술정책과 행정을 지역으로 분산하고 분권하는 기초적인 법안으로 여기에 지

1. 이 글은 2017 지역문화 네트워크포럼(2017. 11.11. 광주 대인시장)에서 발표한 토론문으로 지난 시간의 경과에 따라 세부내용이 다소 차이가 있을 수 있으나, 전체적으로 주장하는 기조에 대해서는 여전히 유효합니다.

역문화와 생활문화에 대한 정책용어로서의 개념을 제시하고 있다. '지역문화'는 지방자치법에 따른 지방자치단체 행정구역 또는 공통의 역사적 · 문화적 정체성을 이루고 있는 지역을 기반으로 하는 문화유산, 문화예술, 생활문화, 문화산업 및 이와 관련된 유형 · 무형의 문화적 활동을 말한다.[2] 이러한 지역문화의 키워드 중 하나인 '생활문화'는 지역주민이 문화적 욕구 충족을 위하여 자발적이거나 일상적으로 참여하여 행하는 유형 · 무형의 문화적 활동을 일컫는다.[3] 앞서 2013년에 제정된 「문화기본법」과 「지역문화진흥법」을 근거로 지역문화 진흥에 관한 기본 개념과 법률적 근거가 마련되고 지역문화재단의 설립을 통한 예산과 행정지원의 체계를 전국적으로 갖춤으로서 생활문화 활성화의 제도적 기반을 마련하게 되었다.

2. 생활문화의 전개

생활문화라는 것은 법제도가 있기 전에 이미 우리 곁에 아주 친숙하게 있었던 활동들이었다. 아주 오래전부터 시민들은 스스로 좋아하는 문화예술 활동들(서예, 도자기, 사진, 그림, 합창, 풍물, 기악, 무용, 연극, 문학 등)을 선생(싸부)님을 모시고 배우고 있었다. 또한 지역 문화원, 농협, 노동조합, 주민자치센터, 평생학습교육 강좌와 각종 민관 프로그램 수강을 통해 만들어진 시민 동아리들도 부지기수로

2. 지역문화진흥법 제1장 총칙 제2조(정의) 1항
3. 지역문화진흥법 제1장 총칙 제2조(정의) 2항

많아 그야말로 평생학습의 일환으로 생활문화가 대중적으로 활성화 되었다.[4] 문화예술을 좋아하는 시민들이 취미와 여가활동 차원에서 문화예술동아리를 구성하여 자발적으로 회비를 내고 시간과 열정을 투자하여 스스로 문화예술 활동의 주체가 되어 자신의 삶을 풍요롭게 영위하는 삶은 풀뿌리 시민문화를 만드는 가장 큰 원동력이고 아래로부터의 문화토양을 건강하게 만드는 소중한 자양분으로 작용하고 있었다. 생활문화는 심화되는 고령화 시대에 중장년 · 노년층의 사회활동에서 문화 활동이 점차 증가하고 있고 각종 취미와 문화예술 활동을 통해 정신적 · 신체적 건강을 유지하는 긍정적 효과와 건강의료 관련 사회적 비용을 경감하는데 큰 효과가 있다는 연구가 일반적이다.

그럼에도 불구하고 이러한 자발적 동아리 활동들이 분산적 · 파편적으로 이루어지면서 일정한 성과를 축적하여 사회문화적 자산으로 발전하기보다는 소모임 활동의 소멸과 생성을 반복하는 다소 소모적인 양태로 고착화되는 경향을 보이고 있다. 물론 극히 일부이긴 하지만 경기도 성남시 '성남 사랑방문화클럽 네트워크'의 사례[5]는 이러한 한계를 극복하고 민간이 주도하는 방식으로 오랜 시간에 걸쳐 시민참여 문화예술 활동의 지속성과 정체성을 유지하며 관의 지원과 지역주민의 참여를 성공적으로 이끌어낸 생활문화영역에서의 민관협치의

---

4. 부산문화재단은 생활문화 활성화 사업이 초기 단계임을 고려하여 현재는 「문화예술진흥법」 제2조 2항에 의거 미술(응용미술 포함), 음악, 무용, 연극, 영화, 연예, 국악, 사진, 건축, 어문, 출판, 만화 12개 분야 장르를 범주로 설정하고 있으며 향후 그 범위를 확대해나갈 예정이다.

5. 「성남 사랑방문화클럽 네트워크」, 2007년 5월 사랑방클럽 운영위원회 발족, 2008년 3월 7일 성남 사랑방문화클럽 네트워크 출범식(성남아트센터, 임기용 위원장). 2017년 기준 240여 개의 문화예술 클럽 가입, 9명의 클럽대표로 운영되는 운영위원회와 기획위원회 구성, 문화클럽 한마당, 문화공간 제공과 문화공헌 사업, 사랑방 문화클럽축제 등의 사업을 펼치고 있다(법 제1장 총칙 제2조(정의) 2항).

성공적인 사례로 평가받고 있다.

부산문화재단은 2015년부터 생활문화 활성화사업을 시작했는데 첫해에는 생활문화동아리 실태에 대한 전수조사를 진행하여 약 680여개 동아리의 활동현황을 파악하였고, 공모사업을 통해 100여개 동아리를 선발하여 소액의 활동기금을 지원하였으며, 전체 동아리들이 참여하는 "취미의 재발견", "춤출까예", "생활문화예술축제", "지축을 울려라" 4개의 기획 사업을 진행하였다. 2016년부터는 동아리 대상의 직접지원을 지양하고 지역별 · 장르별 생활문화동아리를 조직하는 네트워크 사업을 진행하여 10개 지역, 6개 장르 생활문화연합회를 창립하였으며,[6] 총 14회의 지역별 · 장르별 생활문화예술제를 개최하였다. 2017년에는 4개 지역의 생활문화연합회 창립과 20회의 생활문화예술제를 개최하였고, 지역별 · 장르별 생활문화연합회 회장단, 운영위원회, 회원들을 중심으로 하는 정기 회의체계, 역량강화 워크샵, 생활문화 활성화를 위한 교육프로그램 운영을 추진하고 있다. 또한 부산시와 각 구(군)의 협조를 통해 각 지역별로 거점형 · 지역형 생활문화센터 조성사업을 추진하고 있다. 현재 부산지역에 총 14개의 생활문화센터가 운영 중이거나 조성 중에 있으며,[7] 부산광역시 거점 생활문화센터로 원도심의 청자빌딩을 리모델링하여 한성 1918 부산생활

6. 2016-2017년 창립된 지역 생활문화연합회 14개구 설립(사하구, 남구, 북구, 동래구, 사상구, 부산진구, 영도구, 연제구, 중구, 해운대구, 금정구, 강서구, 수영구, 동구), 2016년 창립 장르 생활문화연합회 6개 분야 설립(국악, 무용, 밴드, 연극, 기악, 미술).

7. 2017년 6월 현재 부산의 생활문화센터는 총 14개로 5개 지역(동구, 사하구, 부산진구, 수영구, 중구) 이 운영되고 있으며, 9개 지역(동구 2, 부산진구, 북구, 서구 2, 영도구, 사상구, 부산시)이 조성 중에 있다. 특히 사하구 두송생활문화센터와 수영구 생활문화센터는 생활문화를 전담하는 전문인력을 채용해서 운영하는 모범적인 사례로 평가받고 있다.

문화센터로 2018년 4월에 개관하였다.

부산문화재단에서는 지속가능한 생활문화생태계 조성을 전략적인 목표로 하여 지역별 · 장르별 생활문화연합회 구성(조직), 지역별 · 장르별 생활문화예술제 개최(사업), 지역별 생활문화센터 설립(공간)의 교집합을 통한 부산지역 생활문화 네트워크를 구성하는 단계에 있다. 생활문화 활성화 사업은 철저하게 시민들의 자발성에 기초한 지역성, 자립성, 협동성을 원칙으로 하고 재단은 자유롭게 활동할 수 있는 환경조성과 간접적인 예산지원, 역량강화 프로그램 지원을 통해 생활문화연합회 스스로 사업내용과 예산을 집행하고 책임지도록 하고 있다. 재단의 지원으로 인해 공동체 활동에 균열이 발생하거나 자생력이 약해지는 우를 범하지 않도록 하고 생활문화연합회의 수평적인 소통과 의사결정 구조를 가장 중요한 원칙으로 삼고 있다.

생활문화의 활성화는 주민들이 직접 참여하고 주체가 되는 문화예술 활동을 통해 지역의 문화토양을 건강하게 하고 일상에서 누리는 문화향유의 기회를 획기적으로 확대할 수 있는 풀뿌리 시민문화의 기초가 된다. 생활문화동아리 활동을 하시는 분들은 창작을 중요시하는 전문 예술인과 시간적 · 경제적 이유로 문화생활이 어려운 시민들 사이에서 그 간격을 줄이는 매개 역할을 일상적으로 수행하고 있다. 또한 이분들은 전문예술인들의 지도와 예술적 성취를 기꺼이 수용하며 일반 시민들에게 문화와 예술의 중요성을 알리고 참여할 수 있는 기회를 생활 속에서 제공하고 있다. 생활문화동아리 활동이 양적으로,

질적으로 성장하여 그 저변이 넓어지면 일반 시민들의 참여도 늘어나고 전문예술인들의 활동기반과 예술시장도 더욱 강화되고 확대될 것으로 기대한다.

3. 생활문화의 과제

지속가능하고 건강한 생활문화생태계 조성을 위해서 넘어야 할 과제들은 많지만 이제 곧 시작이 반이라고 지역문화예술계가 중지를 모아 한걸음 나아가야 할 시점이다. 생활문화생태계 조성의 중요한 축인 조직, 사업, 공간의 세 분야가 서로 연계되고 맞물려서 시너지 효과를 낼 수 있는 선순환구조를 만들기 위해 해결해야 할 과제는

첫째, 조직 측면에서 부산지역의 생활문화연합회는 현재 지역 및 장르단위 600여 개 동아리가 참여하고 있는데 향후 연합회 조직의 양적 확대와 더불어 질적인 안정성과 지속성을 담보하는 논의구조와 동아리 간 친목과 화합을 도모하는 정례적인 운영구조를 만들어야 한다. 그 동안 많은 동아리들이 익숙해 있던 개별 활동 방식에서 벗어나 상호 소통과 협업을 중시하는 조직운영 방식으로 바꾸는 것이 쉽지 않은 일이나 향후 소규모 동아리 단위 활동의 한계를 벗어나 지역별·장르별 활동으로 그 폭을 넓히고자 하는 욕구는 점차 증가할 것이다. 동시에 생활문화연합회 활동을 조력할 전문가 풀을 구성하고 전문예술인의 참여와 역할을 통해 동아리 활동의 질을 높여 나가야 활동의 지속성과 안정성을 확보할 수 있을 것이다.

둘째, 사업 측면에서 현재는 지역별 · 장르별 생활문화예술제 개최, 전국생활문화제 참가에 머물고 있지만 향후 생활문화연합회 워크샵, 교육 등 역량강화 프로그램, 타 지역 교류행사, 생활문화공동체사업 등으로 그 범위가 확대될 것으로 기대하고 있다. 많은 생활문화동아리들이 정기적인 연습 및 발표회, 지역축제 참가, 봉사활동 등으로 생업과 더불어 바쁜 일상을 보내고 있고 사업의 근간이 되는 개별 동아리 활동을 유지 · 발전시키야 한다. 하지만 개별 동아리의 범주를 넘어서는 생활문화연합회는 일년에 한번 개최되는 생활문화예술제가 개별 동아리 발표회의 나열이 되지 않도록 중장기적인 계획을 세우고 협업을 통해 기획역량을 높이는 것을 당면과제로 안고 있다.

셋째, 공간 측면에서 현재의 생활문화센터는 극히 일부를 제외하고는 생활문화연합회와 긴밀히 연계되지 못하고 기존의 주민자치센터 식으로 운영되고 있다. 생활문화센터의 조성이 국비와 시비 매칭으로 기초자치단체에서 조성 공사와 운영을 담당하면서 생활문화연합회의 거점 공간 역할보다는 관성적으로 구청 프로그램을 수행하는 공간 역할에 머물고 있어 생활문화센터 역할의 개선이 필요하다. 또한 각 생활문화동아리들이 현재 사용하고 있는 공간에 대한 조사와 향후 필요한 거점 공간에 대한 수요조사를 통해 새로운 공간을 확보하고 기존의 공간자원을 상호 공유하여 활용할 수 있는 방안에 대한 고민도 이루어져야 한다. 생활문화동아리들이 보유한 공간과 재능, 지역자원에 대한 정보들이 확장된 네트워크를 통해 사회적 자원으로 축적되고 공유 자원화 한다면 지역사회를 문화적으로 풍요롭게 하는 핵심적인 역할을 기대할 수도 있다.

생활문화예술 활성화는 시민들의 문화기본권을 스스로 찾아가는 차원에서 일상에서의 문화향유 수준을 높이고 문화예술 활동의 폭을 확대하는데 튼튼한 기초가 될 것으로 기대한다. 생활문화를 통한 시민들의 문화예술에 대한 인식과 참여의 확대는 전문예술인들의 예술적 성취와 결과물을 공유하고자 하는 시민사회의 욕구가 높아지게 만들고 그 결과로 창작과 향유의 선순환 고리가 강화되어 지역의 예술시장이 확대됨으로서 건강하고 지속가능한 문화예술생태계가 정착되기를 희망한다.

2019 집담회(1차)
지속가능한 문화예술 생태 종합플랫폼 조성을 위하여

●

서영수, 김호진, 김동규(정리_김동규)

서영수 : 부산의 문화적 토양 진단

문화 향유의 불균형, 예술가의 생존과 생계 그리고 예술 복지의 문제, 이를 위한 정책적 뒷받침과 제도적 기반마련, 기금 조성의 문제와 예술문화경제 및 산업, 인력양성과 순환, 문화예술 플랫폼 문제가 서로 물고 물리는 관계에 있다. 그래서 하나를 언급하면 다른 것이 동시에 언급될 수밖에 없다. 결국 이 총체적 순환고리를 악순환에서 선순환의 역학으로 바꾸는 것이 중요하다.

김동규 : 문화와 예술의 개념 구분(기능적 정의와 구분)

실제로 문화와 예술이라는 개념이 어느 행정 분야에서 사용되는지에 따라 상당히 다르다. 문화정책과 관련해서는 이론적 정의가 아닌, 기능적 정의와 기능적 구분을 할 필요가 있다. 예컨대 예술은 전업예술가 중심과 전문 장르 중심으로 문화분야에서 장르별 전문성으로 특화된 부분을 '예술'분야로 지칭하자. 그리고 문화는 이러한 전문

예술과 관련된 다양한 환경적 기반과 향유(소비)의 기반, 다시 말해 전문성을 수용하고 재생산하기 위한 환경으로 정의하고, 이 둘을 서로 구분하자. 그리고 이 구분이 서로 선순환관계에 있으며, 일반성과 전문성 사이의 장벽을 폐쇄적으로 만들지 않는 것이 좋겠다. 이는 아마추어 문화 향유자가 전문적 문화생산자가 될 수 있는 다양한 통로를 만들고, 전문분야의 문화생산자가 다른 분야와 관련해서는 아마추어 문화 향유자가 될 수 있음을 의미한다. 그리고 전문성과 아마추어성의 경계를 느슨히 하여, 전문적 장르가 혼합될 수 있고, 아마추어적 향유 역시 다양하게 수용될 수 있는 여지를 두자.

서영수 : 개념구분과 법제도

그럼에도 불구하고 개념적인 구분을 해야 하는 이유는 문화예술 제도나 법에 문제가 있기 때문이다. 1972년 예술진흥법에 근거하여 예술가 지원 및 예술지원제도가 발전했고, 그 뒤 실로 수많은 제도와 법이 생겼다. 장르별 법, 문화진흥법, 지역문화진흥법 등. 이 법들이 정밀하게 디자인된 것이 아니라, 대부분 급조된 경향이 있다. 심지어 법제끼리 충돌되기도 하고, 그럼에도 방치되어 있는 경우도 많다.

예컨대 법에 근거한 기금조성과 기관설립에서 법이 충돌하는 경우가 있다. 한국문화관광연구원은 문화정책을 만드는 곳인데, 정작 이 설립에 대한 근거가 없었다. 그래서 이후 '추후' 문화기본법에 의거한 근거를 마련하기도 했다. 또 다른 예로 예술가가 누구이며 누가 예술 복지의 대상인가 하는 문제에서 1) 특정 예술분야 전공자, 2) 예술 실적 증빙을 통한 등록을 규정해두었고, 그래서 예술인 PASS발급을 하도록 했다. 그리고 이 발급의 절차가 그리 까다롭지도 않다. 그런데 중요한 것은 정작 활용할 곳이 없다. 예컨대 예술가들이 병원할인 서비스를 받고자 한다면, 그 할인의 수준이 흔히 병원에서 하는 지인할인 수준을 넘지 않는다.

김호진 : 예술가에 대한 편견적 인식의 문제

복지 실현과 관련하여 대중의 편견도 많다. 예술가들을 소위 딴따라로 보는 수준의 시각이라든가, 자기 좋아 하는 일에 국가 예산을 왜 지원해야 하느냐 하는 문제, 예술을 전공하려면 소득수준이 좀 있어야 하는데, 그렇게 부유한 사람들을 왜 지원하느냐, 예술가들의 성격이나 사회성을 생각하면 굳이 세금을 그런 이상한 사람들에게 낭비할 필요가 있느냐, 심지어 개미처럼 열심히 일해도 살기 힘든데, 베짱이 같은 예술가들의 생존을 왜 지원해야 하느냐 등등 상당한 편견이 예술가들의 복지와 지원에 대한 전폭적이고 혁신적 지지를 저지하는 요인이 된다.

서영수 : 예술가 지원 정책과 복지문제

이는 예술에 대한 근본적인 인식 변화를 요구하는 것이기도 하다. 예술은 기능성, 효율성으로'만' 평가할 수 없다. 심지어 기능성과 효율성, 그래서 산업적-경제적 잠재력을 생각한다고 할 때, 당장의 산업적-경제적 잠재력만을 고려할 필요는 없다. 예술은 그 잠재성의 영토와 범위를 넓히는 것으로도 충분히 산업적-경제적 가치를 구현하는 것이다. 예술은 산업적-경제적 가치만을 가지지 않기에 다양성 가치를 생산할 수 있는 창의성의 토대이며, 그 중 일부는 미래의 가능성과 잠재성의 역량을 갖추는 것으로 고려될 수 있다. 그렇다면 예술가에 대한 지원은 생산성과는 무관하게 예술 자체에 초점을 맞추어 지원할 수 있고, 그 기반인 문화적 환경 역시 생산성으로 소급되지 않는 다양한 가치의 토대가 될 수 있다. 부산의 다양성 기반이 척박하다는 최근의 보고서를 보더라도, 이 부분은 주목되어야 하고, 여기에 초점을 맞추어서 지원을 해야 한다.

따라서 예술가 지원은 창작 지원의 수준을 넘어서야 한다는 '담론 형성'이 필요하다. 그리고 이를 위한 기금을 확보하고, 정당하게 심사하고(그런 점에서 심사 제도나 인원의 내용과 절차의 정당성과 공개성이 중요하다.), (단체 중심의 지원을 통해 개인 지원이 배제된다든지, 서울중심의 지원이라든지, 특정 단체 중심의 지원의 문제 등이 해결되도록) 공평하게 분배해야 한다. 여기서 빠진 것은 유통과 마케팅의 문제까지 염두에 두어 지역경제와 생태계를 고려한 매개와 지원이 있어야 한다. 여기까지 포함되어야 예술인 지원을 위한 기본인프라가 조성될 수 있다.

예술생태계 조성을 위하여

서영수 : 지역의 예술시장은 주로 예술 공공시장이 전부라 말해도 과언이 아니다. 이 예술 공공시장이 바로 지역특성화 문화예술지원사업을 중심으로 하는 광역문화재단을 통해 집행되는 각종 공모사업들이다. 기초예술 창작에 대한 지원을 중심으로 문화공간에 대한 지원, 인력양성에 대한 지원 등 다양한 분야에 걸쳐 공모를 통한 심사과정

을 거쳐 국시비 및 기금으로 지원하고 있는데 이를 일컬어 공공시장 또는 공모시장이라 부른다. 일반적으로 예술시장은 소비자인 시민들이 직접 자신의 재화를 지불하고 예술생산품을 구매하는 시장을 말하는데 이에 대비하여 공공시장 또는 공모시장은 예술가가 자신의 창작활동을 위한 기초자금을 공공의 지원금으로 마련하기 위한 제도로서 소비자의 선택과는 상관이 없는 예술가들 상호간의 공모를 통한 제한적 경쟁시장이기도하다. 이러한 공공시장 또는 공모시장이 확대되면 예술단체 자체의 기획공연, 공연예술축제, 지역의 다양한 문화관광축제, 각종 문화행사 등으로 예술시장이 열리고 예술가들은 여기에서 수입을 얻는 경우가 많다. 그러나 지금의 각종 예술지원제도는 공공시장 또는 공모시장에서 그치고 머물 뿐 소비자들이 적극적으로 참여하는 예술시장으로 연결되지 못하는 결정적인 문제점을 안고 있다. 이것은 결국 예술작품의 홍보와 마케팅에 대한 지원과 시스템의 부실로 이어지고 최종 소비자인 시민들에게 외면당하며 지속적인 예술시장의 위축으로 나타나고 있는 실정이다.

이러한 문제의 원인은 예술경영 종사자나 기획자가 홍보와 마케팅을 통해 예술가들이 생산한 작품을 소비자의 수용과 향유로 이어질 수 있도록 하는데 대한 지원이 부재하거나 부실한 것에서부터 비롯된다. 한마디로 말하면 예술가(생산자)와 시민(소비자)가 각자 알아서 만나거나 매개자 또는 기획자(유통자)가 알아서 각자 살아 남아라는 것이다. 결국 예술가는 선정된 공모사업이 요구하는 결과만 산출하고 정산하면 되고, 공공기관은 결과보고서와 결과물만 받으면 그만인 것이다. 그 작품들이 어떠한 경제적 잠재력을 가지는지, 얼마나 지속가능한 효력을 가지는지에 대해서는 별 관심이 없는 것이다. 최첨단의 정보통신기술이 나날이 발전하고 있는 시대에 예술시장의 선순환생태계를 뒷받침하는 정보와 유통을 통합하여 생산자와 소비자를 매개하는 지역단위 플랫폼과 인프라 시스템이 없다는 것은 통탄할 일이다. 공적 자금을 투입하여 이미 만들어졌어야 할 예술시장 통합정보시스템의 부재로 인해 작품 창작하기도 바쁜 지역의 예술인들은 오늘도 일인 사오역을 담당하며 절망과 희망의 고갯길을 넘고 있다.

김동규 : 예컨대 기획비를 책정하지 않는 경우가 그렇다. 실제로 문화–예술 공모사업에서 실제로 '기획'이 이루어지고 노동이 투입되지만, 정작 매개하는 사람의 역할인 기획에는 예산 지출의 근거가 없다보니, 노동은 투입되지만, 그에 맞는 임금을 지불할 근거가 없는 것이다. 이는 문화–예술 관련 보조금법이 너무나 구식이며 낙후된 것이라 그렇다. 실제로 기획비를 줄 수 있는 경우에조차 기획비를 일정한 수준으로 제한해서 그 실효성을 찾기가 어렵다. 이 연장선에서 생활문화센터의 기능이 제대로 될 수 있을지도 의문이다. 결국 현재 지역 문화정책의 제일 문제는 예술시장 인프라가 빈약하다는 것이다.

김호진 : 실제로 기획노동이 투여된 사람에게 노동에 합당한 보수를 주기 위해 탈법을 시행해야 하는 경우가 있다. 법이 투여된 노동에 대해 보수를 지급하지 않는 불법적 차원의 정신을 법에 구현하고 있다. 법과 제도가 불법과 탈법을 조장해서는 안 된다.

서영수 : 향유–매개(마케팅/기획/홍보/플랫폼)–생산의 선순환관계를 만들 수 있어야 한다. 그리고 작품을 만들기 위해 기금을 받아야 하는데, 기금을 받기 위해 작품을 만드는 경우도 주/객이 전도된

것이다.

김동규 : 이를 위해서는 기금의 장기 지원도 필요하다. 인문학의 경우 HK사업이라든지, 사회학의 경우 SSK사업 등이 10년 정도의 장기적 지원을 거치는 사업들인데, 예술에도 이런 것들이 있어야 한다. 상황이 이러해야 향유의 불균형도 해소된다.

서영수 : 영화제는 20년이 넘었다. 그런데 정작 산업적 기반도 없고, 자가 생존 기반도 없다. 그런 점에서 영화제도 성공적이라 할 수 없는데, 엄청난 예산이 지원되고 있질 않나. 이런 상황에서 공연예술 분야는 민간에게 맡겨버린 채 국제무용제, 국제연극제, 국제 음악제가 열린다. 나아가 문화 예술 장르에서는 지원 받아야 할 장소도 콘텐츠도 여전히 많다. 그 중에서도 소극장 지원도 사각 지대 중 하나이다.

문화-예술 지원의 매개자 구축

서영수 : 문화-예술 매개 인프라 중 하나가 바로 문화재단이다. 그런데 문화재단의 행정지원은 공모사업을 관리하는 수준에 그친다. 더 큰 문제는 재단이 공간운영을 직접 한다는 것이다. 공간운영은 위탁을 주면 되는데, 재단이 너무 많은 일을 전문성 없이 진행한다는 것이다. 차라리 또따또가처럼 인프라 육성을 위해 민간에게 위탁을 하는 것을 고민해야 한다. 조직을 더 크게 불리고 유지하기 위해 이런 무리수를 두는 것보다는 민간으로 넘길 수 있는 것은 적극적으로 민간으로 넘겨 관리하는 것이 중요하다. 그리고 현재 넘길 수 없는 것은 키워서 넘겨야 한다. 민간 위탁 인큐베이팅이 필요한 것이다. 이는 재단이 할 수 있는 '매개' 지원의 중요한 모티브이다.

김동규 : 이런 매개 기반에서 협치 기반이 탄생한다. 부산시와 부산문화재단을 조율할 수 있는 협치 기반의 실질적 운영위원회가 민간에서 필요한 것은 아닐지?

서영수 : 이를 통해 지역의 문화예술 생태계의 자율성을 향상시킬 필요가 있다. 일종의 문화예술 매개 플랫폼을 블록체인처럼 만들어보는 것이다. 이를 운영하는 것도 청년스타트업 지원 사업으로 진행해 보는 것이다. 아울러 문화예술자원봉사자에게도 마일리지를 부여해서 문화를 향유할 수 있도록 하는 것을 제도화한다. 이러한 매개 기반만 잘 만들면 인력보충은 충분하다고 본다.

김동규 : 정책 변화를 견인하고 문화예술비전도 제시하는 플랫폼을 조정할 필요가 있다. 외부장르와 연결될 수 있는 플랫폼으로서 인문학, 교육청, 독서축제, 북카페, 지역 미디어 등과도 연결될 수 있어야 한다. 미국의 NEA처럼 기금을 조성하여 분배하는 독립적인 체제를 만들어 낼 필요도 있다. 이런 기금을 만들 수 있는 창구 역시 다양하다. 예컨대 김재환의 발표에 따르면 부산의 1% 미술을 위해 한 해 쓰이는 예산규모가 40억이 넘는다. 부산 비엔날레는 약 30억 정도인 것으로 안다. 이런 상황이라면 1% 미술에 직접 돈을 쓰기보다는 부산의 미술의 공적 기반을 구축하기 위하여 특별 기구 또는 문화재단을 통해 이 기금을 각 분야와 장르별로 공정히 분배하는 것은 어떨까? 이를 위해 함께 머리를 맞댈 필요가 있다.

의제제안

- 문화에 대한 인식을 변화시킬 수 있는 다양한 활동만큼이나 법과 제도의 정신 안에 문화에 대한 인식변화를 반영한 법률들이 있어야 한다.(문화 없는 삶은 없다는 것, 예술가들의 작업은 노는 것이 아니라는 것)
- 문화와 경제를 이분법적으로 생각하지 말고, 문화의 경제적-시장적 잠재력 역시 염두에 두는 행정이 필요하다.(문화의 산업적 잠재력을 구현하기 위한 유통, 마케팅, 홍보의 플랫홈을 구축하여 브랜드 개발로 이어져야 한다.)
- 창작을 지원하는 이상의 다원적 차원의 지원이 필요하다.
- 문화의 생산-매개-수용(소비)의 선순환구조 구축이 필요하다.
- 문화행정의 지원이 1년 단위를 넘어선 장기적 차원의 지원이 필요하다. 인문학이나 사회학에 관련된 국가 지원은 10년 단위의 장기 지원이 있다.
- 생활문화 활성화를 위한 센터의 운영과 지원, 소극장과 같은 공간의 운영과 지원 정책이 필요하다.(관설민영의 원칙이 필요, 문화공

간과 시민이용 시설에 대한 통합서비스 구축 및 활용)

- 매체 환경변화에 맞는 행정 지원이 필요하다.(SNS 홍보비를 계상하지 않는 것은 문제).
- 공유경제와 결합된 문화예술정보 통합 플랫폼 구축
- 문화 예술에 대한 개념구분을 기능적으로라도 해서 분명한 구분을 통한 지원체계 구축이 필요하다.
- 문화와 관련된 다양한 법제도를 임기응변식으로 만들지 말자. 이미 만들어진 법들을 정비하고, 새로운 법을 만들 때, 전략과 비전을 수립해서 만들자.
- 예술가들에게 실질적 복지 혜택을 줄 수 있는 제도를 만들자.
- 문화관련 법과 조례를 실질적으로 운영하고 제 · 개정할 수 있는 협치 기반을 만들고 실천하자.
- 생활문화 기반형 지원의 형태를 다원화하자.(특정 장르 중심 동아리에 대한 지속가능한 지원체계 구축, 커뮤니티에 기반을 두고 커뮤니티가 선택한 문화적 장르로 커뮤니티 역량을 표현할 수 있도록 지원, 커뮤니티 조성 및 공공성 기반 교수자 발굴 및 육성, 동아리나 커뮤니티가 발굴되고 역량을 표현하면 이에 대한 마케팅, 홍보, 기획을 지원하여 표현한 역량이 충분히 공유될 수 있도록 함.)

III

지역 청년에게 필요한 세 가지– 관계, 역할, 공간

박진명

부산이라는 지역, 문화 영역에서 활동하면서 지속가능한 기반을 고민하고 실험한 지 10년. 청년 정책 대응하느라 분주하게 뛰어다닌 지도 벌써 5년이 지났다. 힘들게 자기 삶을 꾸려가는 청년들 틈에서 나도 죽겠다고 불평할 정도는 아니지만 나 스스로의 청년기를 관통했던 지난 10년도 호락호락하지만은 않았다. 맥주 한 캔, 사람들과 같이 뭐라도 해보는 것 자체가 즐거운 사람이었는데 현재의 나는 너무 열심히 살고 있다. 지역에서 발붙이고 뭐라도 해보려는 청년들 대부분이 그렇지 않을까. 자기 존재의 증명과 소진 사이를 아슬아슬하게 줄타기하는 사이쯤에서 '청년'으로 호명되고 있고, 호명조차 되지 않는 청년들도 나름의 방식으로 '존버'하고 있을 것이다.

부산시에 정식 부서 없이 청년 담당자 한두 명 있을 때부터 청년기본조례 제정의 필요성을 제안했던 게 2014년이고, 우여곡절을 거쳐 2018년 청년기본조례가 만들어졌고, 지금은 여러 개의 팀이 있는 청년희망정책과라는 정식 부서가 갖추어졌다. 디딤돌카드(취업준비 지원), 월세 지원과 행복주택(주거 지원), 청년 활동과 커뮤니티 지원 등 다양한 사업도 추진되고 있다. 청년들이 겪게 되는 여러 문제의 복잡성이나 심각성에 비해 충분하다고 할 수는 없지만 5년 만에 법적인 근거인 조례, 청년희망정책과라는 행정 체계, 다양한 사업들이 갖추어진 것만으로도 적지 않은 변화다.

아직 청년센터나(청년의 삶에 공감하고 적절한 방식으로 청년 관련 정책을 실행할 조직이나 공간) 등 청년정책이 원활하게 진행되기 위해 필요한 숙제가 남아 있고, 청년들의 고민을 면밀하게 듣고 파악하면서 부족한 관련 데이터를 생산하여 기존의 사업을 수정보완하고 향후 정책이나 사업을 설계해가는 준비도 더 해야 한다. 이런 시점에서 올해 처음으로 청년주간이 열린 것은 지난 청년정책을 돌아보고 앞으로의 향방을 가늠할 수 있는 자리여서 시의 적절했다. 컨퍼런스 오프닝 발제에서 전국청년정책네트워크의 엄창환대표가 2019년을 '부산청년정책 원년'으로 보자는 기조를 내세운 이유이기도 할 것이다.

정책이라는 말은 사실 무겁다. 10년간 창업, 문화기획, 마을재생, 잡지, 청년정책 등 여러 영역을 오가며 고군부투했던 속에서 청년에게 필요한 것이 무엇일지에 대해 고민을 많이 했다. 그간의 경험 속에서 머릿속에서 맴돌았던 3개의 키워드로 조금 단순화시켜 앞으로 필요한 방향과 고민을 정리해보고자 한다. 많은 청년정책이 준비되고 논의되는 상황에서 더 많은 청년들과 이야기를 나누고 함께 지역에서의 살이를 고민하는 작은 계기가 되었으면 한다.

1. 관계

마을사업부터 다양한 공모사업 등에 청년들이 결합되면 가산점을 주거나, 청년들만 신청할 수 있는 사업들이 어느 때보다 많아졌다. 결과적으로 청년들이 실험할 수 있는 기회가 증가하기는 했지만, 대부분 지역사회와 충분한 관계를 맺기에는 시간도 예산도 한계가 있는 일들이 대부분이다. 이렇게 진행되는 일들은 한시적인 시간 속에서 청년들이 지역사회의 겉만 돌다가 끝나버리는 경우가 많다. 언제 떠나도 이상할 것이 없는 피상적인 관계 안에서는 무엇을 해도 겉돌게 되고 지역에 대한 애정이나 심화된 역할, 관계로 나아가기 힘들다.

최근의 청년정책이 단순히 양적인 차원에서 청년들이 지역사회에 연결되고 접속할 기회의 문을 열기는 했지만 이후에는 청년들을 통해 지역사회의 관계를 어떻게 재구성 할 것인지, 관계의 내밀함을 어떻게 만들어낼 것인지도 염두에 둘 필요가 있다. 청년들에게 마을이나 지역사회에 접속을 장려하기 이전에 청년과 동행하기 위해 지역이나 마을도 준비가 필요하다. 청년들끼리 모이고 다양한 실험을 할 수 있는 환경 조성, 세대 분절적 관점이 아니라 지역의 이웃으로서 지역사회에 접속할 수 있는 제도가 필요하고 그것이 가능하기 위해서는 단순히 마을에 비어 있는 청년들의 능력을 차용하는 소모적인 전략을 넘어 책임과 권한도 부여되어야 지역과 소통하고 문제를 해결해나가는 적극적인 관계가 형성될 수 있다.

2. 역할

탈부산이 화두다. 탈조선 이야기가 일상화된 상황에서 탈부산이 뭔 대수겠는가. 이러한 청년의 지역이탈에 대한 고민이 일자리문제로만 귀결되는 것은 현상을 너무 단순화하는 것이다. 지역이탈이나 이직률이 높은 것은 단순히 일자리의 숫자의 부족 탓으로 돌릴 수 없다. 특히나 안정적인 일자리의 절대적 숫자가 부족한 시대에 공공주도의 일자리정책은 비정규 일자리나, 인턴 형태 등 상대적인 박탈감으로 이어질 수 있는 일자리의 확대로 그 모순을 심화시키는 측면도 크다. 이처럼 한시적으로 일자리의 숫자 자체를 늘리기 위해 애를 쓰다보니 정작 일자리를 바라보는 청년들의 태도가 어떻게 변해가고 있는지 면밀하게 살피지 못하고 있다. 아직도 일자리 선택에 있어 연봉이라든가 안정성 등이 중요한 지표이긴 하지만 복지라든지, 성장의 가능성이라든지, 조직의 문화라든지 하는 것이 일자리 선택 기준에서 점점 높아지고 있다. 특히 문화예술 관련 분야에서는 프리랜서, 혹은 여러 개의 일을 동시에 하는 등의 비정형 일자리 활동을 통해 생계를 구축하는 사람들이 많다. 연봉 같은 기준이 아닌 자기 스타일이나 가치를 지켜가면서 노동을 하는 사례가 많아지고 있다.

따라서 공공예산 투입을 통해 역할 불분명한 단기 일자리를 양산하기보다는, 일자리 정책의 중요한 목표를 청년들이 사회에 접속 가능한 다양한 방법을 탐색하는 것으로 둘 필요가 있다. 또한 창업 정책을 통해 육성된 청년들도 현실적인 계약을 통해 기반을 다지기 힘든 경우가 많다. 각 지자체에서 진행되는 많은 사업들 중 민간에서 맡길 수 있는 일들의 경우에도 그 진입조건이 까다롭거나 관습적으로 이어져 온 계약금액이 현실적이지 않은 경우가 많다. 공공의 계약 문턱을 낮춰서 다양한 주체들이 시장에서 경쟁할 수 있도록 하는 것도 청년들의 지역 내 역할 탐색에 중요한 물꼬를 터줄 수 있다.

3. 공간

그동안 청년과 관련한 공간들을 시나 구청 등 공공에서 만들기 시작했고 가속화될 조짐도 보인다. 공공이 주도해서 운영하고 있는 청년공간은 자주 공간이 왜 필요한지의 목적이나 가치를 잊어버리곤 한다. 취업준비나 공부를 할 수 있는 장소가 필요한 것이 아니다. 그런 것은 집 근처 도서관이나 카페 같은 곳이 더 편할 수도 있다. 비슷한 고민을 나누거나 서로를 응원할 수 있는 사람을 만나고, 삶의 새로운 가능성을 탐색하는 계기가 필요한 거다. 뿐만 아니라 좀 쓸데없는 짓, 하지만 재밌기도 한 짓들을 눈치 보지 않고 해볼 수 있는 그런 '공간'이 필요하다.

공공에서 만든 공간들은 공간의 목적을 단순화하고, 사용의 조건을 까다롭게 하는 경향이 있다. 공공에서 만들더라도 운영주체를 다양화할 필요가 있는 이유다. 응원하고, 함께 어울리고, 고민할 수 있는 사람이 운영주체여야 한다. 단순히 청년을 고용해 공간을 지키게 한다고 해서 청년공간이 되지 않는다. 청년공간을 운영하는 주체는 기본적으로 청년을 환대할 수 있어야 한다. 그저 공공의 서비스를 청년이라는 대상에게 제공해준다는 관점만으로는 청년공간이 활성화되기 어렵다. 기존에 존재했던 문화시설을 청년컨셉으로 몇 개 만드는 것이 아니라 이것저것 다해볼 수 있는 다양한 공간을 상상하고 만드는 전략이 더 필요하다.

또 하나 청년에게 공간이 중요한 것은 기본적으로 안전하게 쉴 수 있는 자기만의 주거공간이 필요하기 때문이다. 공간은 한 개인의 존엄을 지킬 수 있는 시작 지점이자 이 답답한 사회구조 안에서 찾기 힘든 출구를 다양한 방식으로 찾아보는 실험실이자, 고충과 시련을 서로가 응원하는 마음의 안식처가 될 수도 있다. 이 모든 가치를 그저 물리적인 공간 중심의 접근으로 담보해낼 수 있을 리 만무하다.

지금까지 많게는 1, 2년 애를 쓰다 어느 부서로 옮겨간 공무원들, 한때 함께 열정을 다해 청년의 목소리를 찾아보고자 했던 청년활동가를 떠나보내기도 하며 마흔을 맞았다. 그 많은 논의의 과정 속에서 정작 중요한 방향에 대한 합의는 오래 제자리걸음이었고, 사람이 바뀔 때마다 늘 처음부터 다시 이야기를 해야 하는 어려움을 겪었다. 이제 청년들에게 관계, 역할, 공간이 왜 필요한지는 공감하고 합의하는 출발선에서 이후의 청년정책들을 상상하고 만들어가고 실행되기를 희망해본다.

한 도시의 문화비전을 그리기 위한 전제
– 현장의 감각으로 상상하다

●

박진명

비전의 추상성에서 출발하기

한 도시에서 정책과 관련해서 "비전"이라고 하면 뭔가 선명한 상이 있을 것처럼 보이지만 역으로 비전의 선포는 복잡다단한 여러 이해관계와 정황 속에서 뭔가를 선명하게 보기 쉽지 않다는 전제에서 출발한다. 어렵게 그려낸 비전이 다소 추상적이고 관념적으로 보이는 이유 또한 디테일한 근거와 자료의 부족과(지역 데이터의 부족은 거의 모든 영역에서 제기될 수 있는 문제) 더불어 아직은 실현된 적이 없는, 그리고 앞으로 실현되리라는 보장과 확신이 없는 가능성의 영역이기 때문에 더 그렇다.

한 도시의 문화비전이라는 것이 아무리 구체적인 근거와 실행을 위한 예산, 방법을 함께 제시한다고 하더라도 전반적인 방향성을 제시하는 것 정도로 펑퍼짐하게 이해될 수밖에 없는 맥락이 존재한다. 특히나 지역에서 문화 영역에 결부되어 있는 예술가, 기획자, 교육자, 단체 등의 삶과 활동이 3~5년 단위를 넘어서 안착하기도 쉽지 않은 상황에서 10년의 비전은 더 추상적이고 멀리 있는 것으로 체감할 수 밖에 없다.

〈부산문화 2030〉이 타운홀 미팅, 라운드테이블, 구군관계자 공청회, 자문회의, 시민/전문가 설문조사, 온라인 조사 등 다양한 주체들에 대해 다양한 방법으로 의견수렴을 한 것은 이러한 빈틈을 메우기 위한 노력이었다고 할 수 있다. 하지만 짧은 시간 많은 사람들의 의견수렴이라는 형식도 10년의 비전과 구체적인 현장의 괴리를 담보해내기에 충분했다고 보기는 어려울 것이다.

이전 〈부산문화 2020〉의 10년 동안 현장에서 기획자로 활동하며 단위사업들을 직간접적으로 경험해왔고, 때로는 모니터링과 연구/컨설팅에 참여해왔던 경험을 바탕으로 현장에서 느끼는 빈틈에 대해 이야기해보고자 한다.

1. 부산이라는 도시의 문화생태계의 가능성 혹은 한계

현장에 10년 가까이 있으면서 부산이라는 도시에 대해서 여로 모로 상상을 하면서 가능성과 한계에 대해 어렴풋하게나마 그려볼 수 있게 되었다. 장점으로 보자면 문화씬이 생각보다 다양하게 존재한다는 점이다. 연극 극단부터, 인디음악, 무용, 최근의 독립서점까지 대표주자 한두 명이 아니라 폭넓지는 않아도 씬이라고 할 만한 활동이 포착된다. 단순히 비슷한 활동이나 영역을 상정한 뒤 그 주체들을 얼마나 열거가능한가로 건강한 생태계의 여부를 단정할 수는 없어도 주체의 열거 자체가 불가능한 도시들에 비해(다수의 중소도시가 겪고 있는 문제이고, 서울 인근의 도시 조차도 겪고 있는 문제이기도 하다) 건강한 생태계 구축의 가능성을 가지고 있다.

이러한 (옅지만 뚜렷한) 생태계의 가능성은 수도권 중심의 문화환경 속에서 더 가치가 있다. 그리고 그 가능성 자체가 300만 이상의 광역도시라는 규모, (내가 낸데 하는 것의 긍정적 지점을 포함한) 지역의 기질에 의해서 생겨나기도 하지만 결정적으로 수도권과의 물리/심리적인 거리감에 의해서 나오는 것이기도 하다. 체감도로 봤을 때 수도권의 영향력 혹은 환류, 인적네트워크의 범위에서 가장 멀리 있는 곳은 경남과 부산이다. 지역 고유성과 생활세계의 문화가 지역문화, 생활문화로 정책적으로 강조되는 시기에 이러한 거리감으로 인한 모종의 보호장막은 어느 정도 선순환의 가능성을 내포하고 있다고 할 수 있다.

하지만 수도권 중심의 문화체계에서 멀리 있는 것이 항상 이로운 방향으로 작동하지만은 않는다. 역으로 문화 정책의 트렌드와 흐름이나 정보에서 보조를 맞추지 못하다 보니 적극적으로 대응하지 못하는 결과로 이어지기도 한다. 부산이라는 지역에 대학이 많고, 문화예술대학이나 학과 등이 있어도 그 지역의 문화비전이나 정책을 그리는 연구나 컨설팅 가능한 실무인력이나 단체가 늘어나지 않는 것도 그 하나의 지표로 볼 수 있다.

정책단위 컨설팅이나 연구사업 주체의 부족뿐 아니라 전국에서 추진되는 문화예술 관련 정책 사업의 심사/자문/컨설팅 위원들의 인력 풀 내에서 부산의 문화현장에서(문화행정 포함) 활동하는 사람들이 얼마나 포함되어 있는지도 되물어봐야 할 때이다. 문화행정이나 대학의 연구자, 현장의 활동가들이 전국의 문화정책의 흐름에 대한 탐구 없이 지역에서 현안을 대면할 때의 결과는 한정된 파이에서의 우위를 차지하거나 스스로의 입지에 대한 인정을 받기 위한 권력 투쟁의 성격으로(내가 낸데 하는 것의 부정적인 발현) 치달을 위험은 언제나 존재한다.

2. 도시의 문화 비전을 그리는 전문성?

느슨하게 다양한 씬이 그려지는 도시에서 도시의 문화비전은 어떻게 상상가능할 것인가? 간단하게는 다양한 씬을 각각 묶기도 하고 전체 씬을 통합적으로 보기도 하면서 수요와 방향, 전략을 도출해야 할 것이다. 이때 해당 씬이나 장르 내에서의 소통과 합의점을 찾아내는 과정 뿐 아니라 전체를 조망하는 활동가나 연구자, 정책적 단위로 사고할 수 있는 지역의 인력풀이 얼마나 있는가도 중요해진다.

앞서 말했던 문화담론이 지역 안에만 머물 때의 위험성은 장르 중심, 단체 중심, 이해관계 중심으로 발화되는 것을 넘어서지 못하는 것으로 자주 귀결되는 것이다. 그러한 논의 대부분은 뚜렷한 근거를 지니지 않은 인상비평을 넘어서기 힘들고, 한 지역의 문화를 상상하는데 도움이 되지도 않는다.

이런 관점에서 부산을 보면 다양하게 씬이 존재하는 것에 비해서 비평, 연구, 데이터 생산에 관한 활동이 부족한 것은 여러모로 아쉬운 부분이다. 고전적 관점의 예술 비평을 제외하고(이마저도 왜소해지고 있다고 보지만) 다양한 변화와 관점을 수용한 지역의 문화활동에 대한 비평활동이 그동안 거의 부재했다. 몇몇 민간의 매체들이 이를 보완하는 활동을 했지만 한정된 자원으로 연속성을 확보하기 어려웠던 측면이 크고, 지역 일간지의 문화 지면을 제외하면 다양한 문화영역의 활동에 대한 조명과 평가 없이 행위만 반복되는 비평적 순환구조의 부재가 오랫동안 이어져 왔다.

여기에 대부분 정책과제나 연구가 1년도 안되는 시간(실제 투여되는 시간은 몇 개월만에) 동안에 결과를 만들어야 되는 행정적 프로세스의 조급성이라는 한계가 더해지면 기대할 수 있는 결과는 뻔하다. 이는 비단 부산만의 문제가 아니라 대부분의 지역 문화정책 수립에서 보여지는 한계이기도 하다. 협소한 데이터, 전문가 풀의 부재, 조급한 시간 안에서 한 도시의 문화비전들이 도출되고 있다는 현상 위에서 이를 극복하기 위한 상상을 시작할 필요가 있다.

3. 데이터의 부재를 극복하기 위한 방법

필자가 기획 및 일부 필진으로 국제신문의 부산문화 진단에 대한 기획기사에 참여하면서 부산문화재단의 기초예술 중 문학파트 지원에 대해 점검하면서 지원제도의 성과와 후속관리 체계의 부재에 대해 문제를 제기하고 필요성을 제안한 바 있다. 요지는 얼마의 예산을 몇 명에게 지원했다는 행정 중심의 성과 관리체계가 놓치는 부분이었다. 전체 문학파트 창작 지원(책자 제작)에 대한 후속 관리 데이터가 없어 포털 2곳에서 작가명 검색을 통해 약 130건 중 30건 가까이가 유통여부나 검색이 잘 되지 않는다는 결과를 확인했다. 이러한 방식의 집계는 그 오차범위가 클 수밖에 없었음에도 불구하고 생성된 데이터의 부재 혹은 접근성의 제한으로 인해 개인이 집계할 수 있는 유일한 방법이었다.[1]

공적인 영역의 투입이나 대학에서의 문화 관련 연구가 활발하고 다양하게 이뤄지는 것이 가장 좋겠지만, 현실적으로 특정한 조례가 제정되거나(청년문화활성화지원 조례, 문화다양성 조례), 전국단위의 정책흐름(지역문화진흥법) 등에 보조를 맞추는 계획안, 10년 단위의 비전을 제시하는 일 등을 제외하면 공적인 영역에서 문화연구나 데이터 갈무리는 거의 이뤄지지 않고 있다. 그리고 이러한 계기들로 촘촘하게 지역문화를 점검하고자 할 때조차도 개별 영역과 사업에서의 부족한 데이터는 걸림돌이 된다.

지원체계의 점검 및 전체 비전을 그리기 위해서라도 다양한 정보 소스나 데이터가 필요한데 가장 기초적인 데이터마저도 부재한 경우 2차 정보 생산은 엄두를 내기도 쉽지 않다. 이러한 경험을 토대로 제

1. www.kookje.co.kr/news2011/asp/newsbody.asp?code=0500&key=20190612.22023004440

안을 하자면 단위사업별로 목표가 설정되어야 하고, 그 목표에 맞는 성과지표를 통해 결과가 사업 집행을 담당하는 기관에서부터 현실적으로 관리되어야 한다. 하지만 현행의 지원 건수 중심의 성과체계는 그 안에 포함될 수 있는 시장 환경의 변화나 주체의 요구를 수렴하지 않는 닫힌 구조로 안착된다.

4. 중간 지원조직의 태도와 비전

사업의 목표와 성과지표의 설정, 데이터의 생산이라는 화두는 직접적으로 중간지원조직의(문화 관련 산하 기관 / 문화행정) 역할과 존재와 직결된다. 사업의 심사나 컨설팅에 참여하다 보면 문화행정을 담당하고 있는 기관은 첨예한 이해관계에서 빠져 있는 경우가 많다. 오롯이 그날 참여한 위원들의 결정에 의해 그 해 단위사업의 방향이나 심사방향이 정해지는 경우도 많다. 심지어 사업의 가치나 목적 자체를 그 자리에서 논의할 수밖에 없는 경우까지도 있다.

이러한 미적지근한 문화행정의 태도는 일면 다양한 이해관계의 중심에 있다 보니 발생하는 숱한 민원을 예상하면 이해가는 부분도 있다. 하지만 기본적으로 각 사업에 대한 방향성과 태도나 비전의 양적인 성과, 질적인 성과에 대한 목표가 내부적으로 어느 정도 도출되어 있어야 할 부분이다. 이것이 가능하기 위해서는 앞서 말한 정책의 트렌드와 방향에 대한 점검뿐만 아니라 지역의 문화지형 안에서의 이해관계를 보다 촘촘하게 그려야 할 필요가 있다.

해당 사업별로 성과지표를 자체적으로 만드는 일은 이런 이해관계의 선을 합리적으로 정리하는 일이기도 하다. 그 과정이 누락되면 오히려 해석의 여지를 남기게 되고 한정된 파이에 대한 여러 이해관계 당사자들의 '카더라'식 후문과 견제의 싸움판을 장려하게 되는 꼴이다. 당연히 이러한 상황을 극복하기 위해서는 다양한 층위의 주체들과 만나는 적극적인 소통이 필요하고, 사업에 참여했던 지역 주체들의 만족도나 방향 제안 등의 창구도 동반되어야 한다.

아무리 많은 정책 사업이 추진된다고 하더라도 중간지원조직이(재단 등) 행정의 단순 수치 중심의 성과지표를 되풀이하거나 행정에 종속되어서는 그 취지를 담보해내기 쉽지 않다. 중간지원조직은 지역의 문화생태계 속에서 지역의 주체를 얼마나 다양하게 성장시키고 파트너로 수렴할 수 있도록 시스템을 갖추고 조직의 역량을 발휘하느냐에 초점을 맞출 필요가 있다. 중간지원 조직이 단순히 시나 중앙부처의 사업소가 아니라는 존재의 증명은 문화생태계를 얼마나 촘촘하게 분석하고, 그 속에서 역할을 설정하느냐에 따라 달려 있을 것이다.

5. 사업 간의 연계를 상상하기

문화예술 관련 인력의 양성이나 새로운 공간의 설치는 요 몇 년간에도 전국적으로 회자되었던 화두이다. 전국적으로 문화관련 전문인력 양성이 경쟁적이었던 최근 몇 년 사이에도 정작 부산에서는 문화

인력 양성이 퇴행적이었음에도 불구하고 부산문화 2030에서 공연장 52개소, 창작공간 33개소, 생활문화센터76개소 등 다양한 문화시설을 확대하고 문화관련 인력을 10년간 1,000명을(생활문화 관련 인력 1,000명 별도) 양성한다는 포부는 긍정적이다.

하지만 현재까지 추진되었던 많은 공간이 건립이나 세팅에 열을 올리는 사이 운영예산과 인력에 대한 준비의 미흡으로 방치되거나 충분히 활용되지 않는 문제가 곳곳에서 드러났다. 이런 선행의 경험을 비추어본다면 이후 조성될 다양한 문화공간이 어떻게(인력과 예산의 현실성 등) 운영될 지를 구체화하는 것도 여전히 해결해야할 지난한 숙제가 될 것이다.

한편으로는 문화인력 양성 사업 등이 중앙부처에서 다양하게 시도되고 있지만 주로 1~2년 단위의 한시적인 활동으로 추진되고 있는 한계가 있기도 하다. 10년 간 2,000명의 인력을 양성한다는 계획이 담보해야 할 것은 양질의 양성프로그램을 어떻게 운영할 것이냐는 것 뿐 아니라, 운영을 통해 성장한 인력에게 질 좋은(어느 정도 현실성과 연속성을 상정할 수 있는) 일자리나 경험으로 연결할 수 있느냐 하는 것이다.

이러한 문제의 해결에 있어 각각의 목표를 별도의 성과지표로 삼지 않고 통합적으로 고민하고 대응할 필요도 있다. 문화인력 1,000명 생활문화인력 1,000명 그리고 다수의 문화시설 설치나 건립은 각각의 중요한 목표가 있다고 하더라도 현장에서는 통합적으로 운영될 수 밖에 없다. 기존 공간이 조성에만 몰두하느라 놓친 인력의 부재와 예

산의 부재를 되풀이 하지 않을 현실적 방안이 마련되어야 한다.[2]

6. 소비시장 확대를 위한 다양한 상상

부산 정도 규모의 도시에서도 문화예술 영역에서는 자생적인 소비구조가 마련되지 않는다는 진단이 오랫동안 있어왔다. 〈부산문화 2030〉에서도 여전히 누락되고 있는 측면이다. 공공의 개입을 통해 다양한 공간, 인력 양성 등에 대한 목표를 중요한 성과지표로 잡고 있다. 그러한 방향이 공적인 자원 투입의 확대를 통해 문화서비스를 더 적극적으로 제공하겠다는 취지는 좋지만 정작 자생적인 문화적 시도의 성장이 소비를 통해 선순환 하도록 하는 고민은 부족해 보인다. 문화예술시장에 있어 공연시장 매년 10% 성장, 미술시장 매년 5% 성장과 예매까지 가능한 문화포털을 구축하겠다는 정도가 예술시장에 대한 비전제시이다.

공공영역에서의 문화공간 증대는 도시 전반의 문화생산과 환류에 어느 정도 기여할 수 있지만 공공 운영 공간들이 경직화되어 왔던 사례들을 넘어서기 위한 고민도 필요하다. 이때 만들어지는 공간들을 민간에서 성장한 주체들과 협업체계를 구축하는 전략으로 선순환의 구조를 더 강조할 수 있다. 2030 비전 내의 창작공간 등 문화공간을 공공에서 주도하는 방식으로 추진되면 공적 서비스로서의 문화 서비

2. www.kookje.co.kr/news2011/asp/newsbody.asp?code=0500&key=20190807.22019002197

스의 과잉은 필연적으로 민간의 자생적인 소비시장과 경쟁하는 지점이 발생할 수 있다.

공적 서비스로서의 문화 인프라 구축 및 사업의 확대와 더불어 고민해야 할 것은 그동안 공적인 서비스 영역에서 주도해왔던 축제, 디자인, 강좌, 커뮤니티 등의 사업을 민간에 이양하는 것이다. 지역에서 성장한 문화 단체나 관련 인력들이 있어도 관련 시장이 없으면 출구를 찾기가 어렵다. 문화예술 관련 시장이 형성되기는 쉽지 않은 일이기는 하지만, 공공에서 이미 추진하고 있지만 계약의 문턱이 높거나 직접 추진해왔던 부분을 민간에 열고 진입 조건을 낮추는 것으로 어느 정도 순환의 고리를 만들 수 있다.

어느 정도 다양한 씬이 형성될 수 있는 부산이라는 도시 규모에서도 시장을 만들어내는 일은 쉽지 않다. 이런 상황에서 각 도시별로 비전과 전략을 세워도 공공서비스의 제공이 강화되기는 하겠지만 소비시장이 마련되기는 쉽지 않다. 교통망의 확충 등을 통해 이미 인적 교류가(주거, 소비, 직장 등의 이유로) 확대되고 있는 부울경을 하나의 권역으로 상상해보는 준비가 필요하다.

대학이 많고 문화서비스가 강세가 될 수 있는 부산이 더 적극적으로 고민을 할 필요가 있다. 그동안 나름의 규모와 집적의 이점이 있음에도 불구하고 경남과 울산의 시민들이 부산에 와서라도 듣고 싶은 양질의 문화강좌나 커리큘럼의 개발 등에 나태했다. 부울경 통합적으로 사고하여 적정 규모의 소비시장의 외형을 갖추는 것, 지표를 단순 유입과 유출로 삼을 것이 아니라 유동의 빈도로 전환하는 상상력이 필요한 때다.

청년문화의제관련 인터뷰 : 박진명

●

정리_ 김동규

박진명 : 2013년 「청년문화육성 및 지원에 관한 조례」가 있었다. 이것이 2018년 「부산시 청년기본조례」의 발의에 따라 흡수통합되었다. 이 과정에서 사실상 청년문화활성화와 관련된 지원이 사라질 위기에 처하거나 '문화'에 대한 지원이 약해질 상황에 처하게 되었다. 부산시의 청년과와 부산문화재단의 파트너십도 보장할 수 없게 되었다. 부산문화재단의 청년문화팀과 별도로 부산시 청년과는 별도의 하위조직을 만들고 있는데, 이것이 부산문화재단의 문화정책 및 지원과 유기적으로 결합하기를 예상하기란 매우 어렵다.

김동규 : 아마 청년 복지 부분에 대부분 주목하지 않을지

박진명 : 그런 것도 있지만, 문화에 초점을 맞추더라도 플리마켓이나 유투브 문화 확산과 같은 트렌디한 문화향유와 향유의 정량화에 초점을 맞추게 될 것이고, 이는 문화 생산과 기획의 측면에 지원을 축소하거나 폐지하는 부수적 효과를 가져올 것 같다. 덕분에 기존 예술생산-지원-매개 정책에 대한 집중은

줄어들 듯하다.

김동규 : 늘 청년을 어떻게 규정할 것인가도 문제였던 것 같다.

박진명 : 여기서 '청년'을 규정하기 어려운 부분이 있었는데, 재미난 복수와 같은 청년 단체, 힙합이나 인디밴드, 그래피티와 같은 비주류, 대안성, 저항과 같은 문화기획을 육성하자는 취w 지에서 청년을 규정했는데, 실제로 이 규정이 쉽지 않았다. 조례가 이러한 규정을 분명히 하지 않은 채 통과되다보니 자연스레 청년은 연령과 세대라는 범주로 묶여서 청년이라는 문화생산 주체와 행정 서비스의 대상이나 향유 대상으로서 청년이 규정되었다.

김동규 : 청년을 어떻게 규정할지에 대한 연구와 담론을 생산할 수 있는 기능이 필요할 것 같다. 조례의 규정이든, 행정 서비스 지원 대상의 규정이든, 청년 사업에 대한 기획-공모-심사-평가 역시 이 규정에 의거하여 진행되면 좋을 듯하다.

김동규 : 예술과 대중성 사이에 대해 계속 관심을 갖고 계신 것 같은데, 좀 더 상세한 말씀을 부탁한다.

박진명 : 창의적 자의식을 가진 대중들이 기존의 전문적 예술 장르나 문화생산으로 투입되지 못한다. 심지어 탈장르화된 문화생산 활동은 장르 구분에 경직된 예술 행정을 통과하거나 접속하지 못한다. 심지어 이 경직성이 현재 점점 패턴화되고 있다는 것이다. 아울러 이것이 생계나 생존과 결부되지도 않는다. 반면 지역 예술대의 소멸로 전문적 교육과 훈련을 받는 생산자의 배출도 줄고 있다. 장기적으로 이것은 전문 예술분

야에 대한 지원체계의 축소로 이어질 것이다. 따라서 예술대 출신의 청년들이 정착할 수 있는 기반과 인프라가 점점 줄어들 것이다. 문제는 #1과 #2 사이의 간극이 점점 벌어진다는 것이다. 여기에 행정의 유연성이 필요하다.

김동규 : 미국의 NEA(National Endowment for the Arts 전미예술기금)와 같이 문화와 관련된 중간 지원체계가 시와의 관계성에서 독립을 얻어내고, 운영의 자율성을 갖는 것이 중요할 것 같다. 여기서 시민예술가, 청년예술가들을 학교를 대신해서 교육하고 실질적 기회를 제공할 수 있도록 말이다.

김동규 : 이런 기회를 제공하는 공모사업에 대한 심사에도 문제가 많은 것 같다.

박진명 : 심사의 전문성과 경직성 그리고 권위적 특성을 수정해야 할 필요가 있다.

김동규 : 청년문화 생태계에 관하여 조금 더 이야기를 나누면 좋겠다.

박진명 : 예술적 생산(공급)-매개(유통)-향유(소비)가 청년의 생계 및 생존과 결부되어 선순환이 되는 것이 중요하다. 그런데 정작 예술적 생산이 산업적 유통과 이어지는 통로가 없다. 결국 청년의 생존문제가 여기서 경각에 달린다.

청년문화의 대중성과 전문성(실험성) 사이의 간극을 줄이기 위해서 실험적이고 도전적인 청년문화에 대한 육성이 일반적인 유통 및 소비 체계와 결합할 수 있는 매개가 있으면 더욱 좋겠다. 제도(기관)-일상생활-시장-(생산, 매개, 향유의) 주체라는 순환 구조 속에서 청년이 다시 정의되어야 할 것이다.

김동규 : 이를 위한 청년의 발화의 맥락은 어떤가?

박진명 : 개인화 · 다원화된 상황에서 단일한 음성을 내고 의제를 제출하는 상황이 쉽지 않은 상황이다.

김동규 : 청년과 공간 그리고 문화운동에서 최근 소규모 모임과 공간운동이 많은 듯하다.

박진명 : 최근 책방 같은 독립 공간이 부산에 40여개 남짓이다. 이에 대한 지원이 예산규모가 큰 도시의 기준으로 진행되거나 지원하면 안 된다. 한 공간에서 생산-매개-소비가 논스톱으로 이루어질 수 있는 구조가 만들어져도 좋다고 본다. 그런 공간에서 그런 경험이 장기간 축적되면, 특정 공간이 전문화될 것이고, 이런 전문성이 유포되고 전파될 것인데, 청년문화지원 정책에 공간의 기획-운영에 관한 장기적 지원 시스템이 있다면 좋을 것이다. 1년 단위 말고. 이런 경험의 축적이 청년을 계약의 주체로 성장 할 수 있는 다음의 지원책으로 이어질 것이다. 지역에 많은 축제들이 있는데, 청년이 여기서 감독과 매니저 역할을 하면서 자신의 역량을 실험하고 축적할 수 있을 것이다. 결국 역량을 매개할 수 있는 플랫폼이 필요하다는 것이다.

김동규 : 다른 지역의 청년지원 정책은 어떤가?

박진명 : 전국적으로 청년문화에 대한 예산을 별도로 두는 지자체는 거의 없다. 창작자 대상은 있지만 그것과 별도로 지원하는 사업은 없다. 제주의 경우 청년문화지원조례가 부산보다 늦게 만들어졌다.

의제제안

- 청년을 규정할 때, 연령을 초월해서 정의하자. 예컨대 문화의 실험성, 창의성을 기준으로 삼을 수는 없을까.
- 청년문화 생산-지원-매개-수용이 선순환 구조로 이어질 수 있도록 해야 한다.
- (비전과 전략)연구-정책-컨설팅-평가지표 구축 및 조사-비평이 선순환할 수 있는 구조를 만들어야 한다.
- 청년 씬을 발견하고 이 씬이 지속가능하게 성장할 수 있는 토대를 구축하자.
- 청년문화가 시장, 행정 등 타 영역과 연계될 수 있어야 하며, 자생적 시장을 구축할 수 있도록 지원해야 한다.
- 행정의 경직성과 정량화를 넘어서야 할 필요가 있다. 평가와 지원의 다양성을 구축하자.
- 사업을 사후 관리할 수 있는 체계를 만들자. 이를 위해 사후 평가지표를 마련하고 이를 되먹임 할 수 있는 체계를 만들자.

- 시간과 예산과 공간의 확보에 기반을 둔 인력양성이 중요하다.
- 청년네트워크나 관계의 유통기한은 1년이 아니다. 청년문화 활성화를 위하여 연간 단위의 지원을 초월할 필요가 있다.
- 청년문화를 위한 인적 관계적 배경을 구축하자. 이를 위해 창의적인 기획을 하고 그 기획을 운영할 수 있는 실질적인 기회를 주어야 한다. 아울러 실패를 통해 배울 수 있도록 해야 한다.
- 이를 위해 민간 이양사업을 확대해야 한다.
- 청년에게 연봉과 안정성은 매우 중요하지만, 현재의 행정적 지원으로 책임질 수 없다, 그렇다면, 그 다음 순위에 있는 변수를 찾아서 지원할 필요가 있다.
- 최근의 이동성과 유동성을 고려하여 지역 행정단위를 초월(부산-경남: 부산, 울산, 마산, 창원, 진해, 김해, 양산, 장유 등)한 문화지원정책을 염두에 두어, 문화정책의 구심력과 원심력을 확장시켜야 한다.
- 이상을 위한 중간지원체계를 구축해야 한다.

V

2018 부산의 지속가능한 미술 생태계를 위한 집담회

참여자

김경화(작가, 원도심예술가협동조합 창 대표), **김재환**(경남도립미술관 학예사)
김동규(민주시민교육원 나락한알 원장), **김소라**(예술잡지 비아트 전 편집위원)
박형준(부산외국어대학교 한국어문화학부 교수)
안중현(문화이론 전공자이자 사단법인 걷고싶은부산 대리)
이수진(경성대 글로컬문화학부 교수), **박순옥, 전미경**(시민) 정리_ **김동규**

발제_ **김재환**(구단위재단활성화와 지역문화코디 고용 및 양성을 통한 전시활성화 그리고 건축물미술품 법 개정)

김재환 www.publicart.or.kr 여기에 국가가 공공미술을 아카이빙 해두었다. 1만평방제곱미터 이상의 건물에 0.7-0.5% 예술품을 설치해야 준공요건이 갖춰진다는 조항을 볼 수 있다. 그런데 이 의무조항을 건축주가 짧은 시간에 작가를 조사하고 건축과 관련된 작업 관련성을 연구해서 작업을 진행해야 준공이 허가되기 때문에 졸속으로 이루어지는 경우가 많다. 그리고 이 졸속을 관련전문가와 연결해서 신속히 처리해야 하기 때문에 이 일을 대행하는 브로커가 등장하기 쉽다.

건축물에 대한 문화예술진흥법을 살펴보면 13조에 미술작품 설치 절차를 볼 수 있다. 이것을 보면 건축주의 임무가 막중함을 알 수 있다. 그래서 이를 대행하는 사람이나 업체가 등장하는데, 이들이 브로커 역할을 하게 된다. 그리고 이 문제를 개선하기 위해 2012년 추가 조치가 이루어졌고, 국가에 돈으로 낼 수 있도록 했다.

그러나 실정은 그렇지 않다. 만일 1억 원의 돈을 0.7%로 건축물 미술에 출연해야 한다면, 브로커에게는 5000만 원 정도 돌려받는 걸로 하고 브로커를 쓸 수 있다. 그러면 실제로 건축주는 5000만 원이 드는 셈인데, 이것을 국가에 출연하게 되면 7000만 원 정도를 내야하는 경우가 허다하다. 그래서 대부분 기금출연보다는 직접 건물에 작품을 쓰는 경우가 많다. 이때 5000만 원 중 2000만 원은 브로커가 가져가고 3000만 원은 작가에게 재료비와 작업비로 사용된다. 이 문제는 이미 오래전부터 지적되었지만, 고쳐지지 않았다. 특히 대부분이 조각이므로, 조각계의 비리를 키우는 기형적 상황으로 치닫기도 했다.

김재환 부산 비엔날레에 드는 비용이 30억 정도 된다. 2018년 10월까지 건축물 미술에 드는 비용이 51억이었다. 2017년은 총 86억이 들었다. 이정도 돈이면 국제행사를 치르는 수준을 넘어설 뿐더러, 미협 작가를 400~500명 정도로 추산해볼 때, 작가 1인에게 연간 1600만 원을 줄 수 있는 수준이다.

미국은 건축비의 1%를 무조건 국가 기관에 납부하도록 되어 있다. 한국도 이처럼 국가기금화를 하는 것이 시급하다. 여기서 출연된 기금은 자기 건물이 아닌 마을 미술 프로젝트로 쓰이고 있다.

반면 한국은 건축주가 자기 건물에 작품을 설치하려고 한다.

여기서 2년은 작가가 작품을 보수하게 되어 있고, 3년부터는 건축주가 보수하게 되어 있다. 여기서 작품의 파손 훼손 철거는 건축주의 손으로 넘어가므로, 작품의 보존이 이뤄지지 않는 경우도 허다하다. 그러니 법 개정이 시급하다.

김경화 설치 작품의 다양성도 필요할 거 같다. 그렇다면 국가기금화하는 것이 좋겠다.

김재환 이어서 공연법을 살펴보자. 시/군/구 문화예술회관이 있는 것은 공연법에 의거한 것이다. 여기에 따르면 무대예술전문인 양성이 법으로 제정되어 있고, 자격증을 부여할 수 있도록 하였다. 무대예술전문인을 배치토록 의무화함으로써 전국 247개 문화회관에 무대예술전문인력이 고용되도록 의무화되어 있다. 구/군의 문화원은 여기 수치에 빠져 있으니, 실제로 많은 인력들이 고용되어 있는 셈이다. 부산은 그 숫자마저도 적어 11개에 그친다.

그러나 미술계에서 미술관 학예사 취직은 그렇지 않다. 실제로 무대예술전문인은 고용되어 있지만, 문화회관에 전시전문가를 고용하지는 않는다. 예컨대 부산문화회관의 전시를 보면 그래서 대부분 기획전시가 아닌 대관으로 이루어지는 경우가 많다. 이에 반해 성남문화예술회관이나, 김해문화의전당은 전시 전문가가 배치되어 있다. 공연법 4장 16조를 보자.

김재환 이어서 지역문화진흥법을 보자. 박근혜 정권 때 만들어진 것으로 생활문화개념을 끌고 왔는데, 이를 통해 생활문화센터를 만들게 되어 있고, 동단위 지역에서 주민과 예술을 공유하고 공감하게 되어 있다. 동아리 활동을 중심으로 운영되는 개념이라 생각하면 된다. 여기에 지역문화전문인력을 양성하라고는 되어 있지만, 고용규정이 없다. 그러니 양성해서 재능기부하라는 셈이다. 그런데 공연법에서는 이미 고용을 중심으로 일이 진행되고 있다.

안중현 사립미술과 지원 역시 그렇다. 기획은 어설프고, 재정운영은 투명하지 않다. 최근 벌어지는 유치원 비리와 거의 맞먹는 셈이다.

김재환 생활문화나 생활예술 개념의 정의나 한계 설정 역시 모호한 상태이다. 그래서 실제로 지역문화진흥이 생활문화를 기반으로 지역에 특화된 형태로 실현될 수 있을지도 모른다.

안중현 지역문화전문인력 양성 프로그램이 있다. 각 지역에 지역 내러티브를 개발하는 사람이 많다. 따라서 이런 분야와 생활문화센터가 연계될 수 있으면 좋겠다. 그렇다면 지역문화 컨텐츠 개발로 이어질 수 있을 것이다.

박순옥 동래에서 나락한알의 〈감지덕지도〉 프로그램을 진행할 때, 시민으로 참여해보았는데, 전문가가 아닌 공무원이 사사건건 참견하여 불편한 적이 많았고, 시민의 자율성을 발휘하는 데 방해가 될 정도였다.

박형준 실제로 잡지를 발행할 때도 마찬가지다. 소통 방식이 중앙/주변으로 나누어져 있는 비대칭성이 있다.

김소라 중앙/지방의 프레임에서 벗어나는 게 더 좋지 않을까?

김재환 우리가 독립적으로 활동할 수 있는 방안을 모색하는 게 좋겠다. 하지만, 중앙/지방의 비대칭성은 이를 방해하는 요소임은 분명하다. 그런데 이 대립구조만 있는 것이 아니라, 지역은 다양한 대립구조가 저 비대칭구조와 공존하고 있다는 게 문제다. 그러니 지역의 문화예술 분야 이슈를 해결하는 데는 다양한 고민이 필요하다.

전미경 오늘 집담회를 보면서 건물 앞 작품을 다시 보게 될 것 같고, 건물 앞 작품에 대해 관심을 가지게 될 것 같다.

박순옥 어느 곳이든 건축물 작품은 나쁜 것 같다. 옹색한 작품들 일색이다. 좀 바뀌면 좋겠다.

박순옥 한살림 드로잉 동아리에 대해 말씀을 드릴까한다. 여기는 심수한 선생님의 재능기부하에 여러 학생들이 미술지도를 받는다. 15명이 등록해서 평소에 7명 정도 출석을 하여 드로잉 수업을 듣는다. 2019년 달력 작업이 달력 드로잉작으로 세 번째인데, 이번에 주제를 골목길로 해서 골목길 기행을 다니고, 여기에 얽힌 이야기를 그려서 달력을 만들었다. 그리고 내년에는 각자가 그린 그림으로 각자의 그림책을 내기로 했다.

1000부를 찍어서 선물도 하고 한살림에 판매도 하고, 도서관에 배부도 하면 총 100만원 이상의 수익을 보게 된다. 이 수익을 저금해서 공동으로 사용한다. 매회 참가 회비 1만원도 있다.

전미경 나락한알에서 진행한 드로잉 수업은 한살림 드로잉과는 또 달랐다. 문지영 선생님이 일단 유급 노동을 했고, 약간 어려웠지만, 크로키 수준 이상의 그림을 배울 수 있었고, 덕분에 표현력이 높아졌다는 느낌이 있었다. 심수한 선생님과 문지영 선생님 두 분은 학생 각각의 재능을 끌어내는 힘이 있었다고 생각된다. 계속 이런 프로그램이 지속되고 일상에서 접할 수 있으면 좋겠다. 학생들이 한 3년 정도 꾸준히 배울 수 있다면 참 좋겠고, 지속가능하게 자생성을 발휘할 수 있을 것이라 생각했다.

김소라 이런 일상의 동아리 프로그램이 좋은 매개자 또는 퍼실리테이터랑 만나서 전문가와 기관 및 장소 그리고 일반 시민이 지속가능하게 협력할 수 있는 방안이 만들어지면 좋겠다.

김경화 원도심예술가협동조합 창의 대표로 활동하고 있는데, 우리 조합은 부산 원도심 지역에서 활동하는 예술가들로 구성된 협동조합으로, 특색 있는 지역 문화를 함께 고민하고, 다양한 수익사업을 통해 지속적인 예술 활동의 기반을 마련하기 위해 고민 중이다. 이를 위해 예술가들이 연대하여 다양한 실험들을 하고 있다. 비엔날레의 위탁을 받아 교육사업을 진행한 바 있고, 현재 국가로부터 문화예술 메이커사업에 선정되어 다양한 실험을 할 준비를 하고 있다. 이러한 사업이 생활문화로 어떻게 침투될 수 있을지도 고민이다.

의제제안

- 건축물에 대한 문화예술진흥법은 현재 탈법과 불법을 조장하는 법으로 작동하기 십상이다. 따라서 이 법을 현실에 맞게 개정하여야 한다.
- 이 같은 불법과 탈법을 막고, 특정 장르에 기금을 제공하는 분배의 불평등을 쇄신하기 위하여 공정하고 다양한 기금 분배를 할 수 있도록 하자.
- 다른 나라의 사례와 같이 건축물 미술에 드는 돈을 국가기금화할 필요가 있다.
- 문화인력 고용을 염두에 둔 법을 제정하자.(공연법이 무대예술 전문인을 양성하고 고용까지 유도하도록 되어 있다. 이와 달리 전시와 관련되어서는 그런 인력을 고용할 수 있는 상황이 없다. 아울러 지역문화진흥법에도 생활문화개념을 사용하고, 생활문화센터를 만들도록 유도하고는 있지만, 여기에 지역문화전문인력을 양성하라고는 되어 있지만, 정작 고용규정이 없다. 공연법이 고용을 중심으로 일이 진행되고 있듯이 전시와 미술에도 고용을 중심에 두고 일이 진행되어야 한다.)
- 동아리 사업을 잘 진행할 수 있도록 하는 좋은 매개조건을 만들어야 한다.

Ⅵ

문화예술정책의제 집담회

일 시 : 2019년 11월 29일(금) 19시
장 소 : 민주시민교육원 나락한알
참여자 : 박진명, 김동규, 원향미, 김호진

발제_ **서영수**(지속가능한 문화예술 생태 종합플랫폼 조성을 위하여)

박진명 홍보-마케팅은 전반적인 시장을 중심으로 두는게 아니라 프로젝트를 중심으로 두더라도. SNS 홍보비를 못 잡게 되는 경우가 있다. 사실상 현수막, 등 옛날 홍보방법으로 예산 측정되는 것. SNS로 홍보비를 책정하는 게 아직 많은 싸움이 되고 있다. 홍보 측면을 문화예술에서 받아들이는 것이 아직 느리다. 유투브, 인스타 등 아직까지 방어적이다.

김호진 실제적으로 아직까지는, 공무원이 아는 것을 새롭게 하는 것을 두려워하는 경향이 있다. 새로운 것에 대해서 민감하고, 방어적이다.

원향미 새로운 것을 받아들이려고 해고 영수증 증빙과 같은 절차들에서 막히는 경우가 많다. 현재 재단에서는 예술지원체계를 개선하면서 홍보실적에 대한 논의를 진행한 적이 있는데, 홍보 활동을 증빙할 때 온라인 실적도 인정해주자는 논의가 있다. 이런 내용들이 인정이 되려면 회계나 정산, 증빙절차가 이를 따라가줘야 하는데 제대로 따라가지 못하고 있다.

박진명 홍보마케팅 회사에 맡긴다고 하더라도, 그게 인정이 안 된다. 대행업체에 맡긴다고 한들 잘 안 통하는 실정이다. 모집의 효과나 이런 것들은, 자가 홍보비 안 가지고 팔로우를 가지고 하면 범위는 좁고, 돈을 좀 써서 새로운 사람을 유입하는 건 또 굉장히 효과적이다. 축제의 콘텐츠는 민간에서 만드는 자그마한 영화제들. 청년영화제도 2회 정도 하고 있다. 부산은 아니지만, 남해에서 무인도 영화제 한다. 이러한 것들이 예산은 얼마 없이 진행되는데, 콘텐츠는 뛰어나다.

김호진 실제로 부산영화제는 부산에서 한다는 것 말고는 다른 부분이 없다.

원향미 영화제는 약간 배타적인 면이 있는 것 같고, 지역에 대한 고려나 연결고리들이 다 끊기는 상황이다. 연대하고 모임도 만들고 하는 그러한 움직임이 있었는데, 내부적으로 그러한 움직임이 많이 사라졌다. 거칠게 말해서 부산 시민들에게 주는 영향력이 크지 않다. “지역에 대한 영향력이 얼마나 큰데”라고들 말하시는 분도 계시는데, 사실상 시민들에겐 얼마나 영향력이 미치는가. 지금은 커뮤니티 영화제가 많이 생겨나면서 아직까지는 시늉은 하지만, 그게 어떠한 영향을 미치는지, 의미를 띄는지에 대한 논의는 없다.

김동규 인프라 구축을 통해서 인력을 만들고 고용하고 순환하는 것에 대한 문제의식은 명확히 드러나는 듯하다.

원향미 영화제는 지역 배려나 지역과의 연결고리들을 만들기 위해 더 노력해야 한다. 초창기에는 지역과 연대하거나 모임을 만드는 등의 움직임이 있었는데 많이 사라졌다. 거칠게 말해서 부산 시민들에게 주는 영향력이 크지 않다. 지역경제 등에 대한 영향력이 크다라는 의견을 주기도 하지만, 실질적으로 시민들에겐 얼마나 영향력을 끼치고 있을까? 다행히 커뮤니티 영화제 등이 생겨나서 영화제의 다양성이 커지고 있지만 이 의미에 대한 본격적 논의는 아직까지 부족하다.

김호진 영화와 관련되어 있는 기관들이나, 국제영화제 때문에 서울에서 부산으로 강제로 이주되었다. 영상물등급위원회는 영화, 비디오, 광고물, 공연 등을 심의하는데. 그러던 중 광고물은 소리 소문없이 서울로 옮겨갔고, 비디오물은 절반 떼어서 서울로 올라갔다. 지역에서 이를 인지하지도 못하고 제대로 목소리도 못내는, 그래서 영화제는 무늬만 지역으로 옮겨온 실정이다. 산업구조나 영화나 이러한 것들이, 받칠 수 있도록 기반이 조성되어야 하는데 아직 그러지 못하고 있다.

박진명 영화 만드시는 분들이 부산문화재단에 공모 많이 넣는다. 그분들로부터 "영화영역이 지원받아서 영화를 만들 수 있는 게 너무 적다"는 말을 들었다. 부산문화재단의 공모에서 영화에 관련한 지원이 이루어진다면, 시민이 직접 영화제에 참여할 수 있는 수준에서 지원이 이루어져야 한다.

김호진 산업적 잠재력이 있는 곳에만 지원이 많이 되고 있지, 기초예술에 대한 지원은 많이 없는 편이다.

원향미 영화분야에서는 받을 수 있는 기금들이 전국단위에서 많은 편이다. 반면 기초예술의 경우 한국문화예술위원회 등에서 주관하는 공모에 지원하려고 해도 선정되는 경우가 매우 드물다. '서울사람들이 받는 거다.'라는 인식이 생길 정도이다. 기초예술, 순수창작에 대한 부분은 지역에서 담보해야한다는 인식이 크다. 영화는 전국 단위로 지원받을 수 있는 데 이유가 무엇때문일까?

김동규 문화만큼은 아직 탑다운이라 그런 것이 아닐까?

박진명 정리는 해보면 좋을 듯하다. 영화영역에서 제작을 한다고 하면, 상업영역이 아닌 곳에서 만든다고 하면, 지역 단위에서 접속할 수 있을만한 것이 얼마나 있을까. 시민들이 제작하겠다, 라고 했을 때 접속할 수 있는 게 얼마나 있을까에 대한 고민을 해보아야 한다.

김호진 부익부 빈익빈이 영화 안에서도 더 심하다. 지역 같은 경우에는 상업영화가 아닌 경우에는, 독립영화라 하더라도 시민들에게 유통이 되는. 시민들에게 소비되는 구조가 있어야 하는데, 이런 구조도 만들지 못하고 있는 실정이다.

원향미 사실 영상위에서도 여러 프로그램을 하지만, 이게 회당 해봤자 1-20명. 영상위원회에서는 시나리오 개발부터 수업을 해가지고 파이널 테스트까지 해서 영화제작 코스까지 하는 것이 있다. 지역민을 대상으로만 하는 것은 아니다. 자기들 나름대로 프로그램을 진행하지만, 영화제 경비로는 하지 않고, 영화의 전당 자체 프로그램으로 충당하는 정도다. 영화제 경비로 하는 것은 커뮤니티 비프 정도. 영화제는 부산에 몸 담고 있지만, 전국구의 케어라고 생각하면 쉽지 않을까.

김호진 1%센트 미술에 대한 지원을 미국의 NEA와 같은 재단으로 운영하고 분배하는 체계를 확립하면 좋겠다.

원향미 문화예술진흥법에 장르별로 지원체계가 있을 때, 이걸 깨서 좀 해보자라고 하면, 문화예술법에 딱 다다른다. 범위가 다 정리되어 있으니. 70년대 나와 있는 문화예술체계 그대로 예술지원 사업 또한 그 범위를 그대로 가져가는. 그러나 이걸 깨려면 문화예술진흥법 자체를 개정해야하는데, 이게 거의 헌법을 개정하는 것과도 비슷하다고 한다.

김호진 나는 제일 크다고 생각하는 것이 토건사업으로 진행되는 이익. 그 토건사업으로 생산되는 이익이 어디로 갈까. 지역으로는 오지 않는 다고 생각한다. 지역에 이익이 다다르도록 어느 정도 퍼센트를 정해서 무조건 지역에서 돈이 쓰이도록 하는 그 법이 필요하다. 실제로 큰 공사라든가, 대규모 개발 사업 이런 것들은 대기업 아니면 못하는 정도다. 대기업이 지역에 하청주고, 지역기업은 또 하청주고, 계속 하청을 주다보면 제일 밑의 하청이 되다보면, 지역에 도달한다. 그 덕분에 기금은 굉장히 적어진다.

원향미 관광지나 지역 박물관에 가면 지역민 할인을 해주지 않나. 부산국제영화제에서도 부산시민들에게 혜택을 줄 수 있는 방법을 만드는 것이 힘들까? 지역민들이 영화제를 즐기고 지역의 소중한 자산이라는 인식을 가지게끔 고민이 필요하다.

원향미 서영수 선생님이 말씀하신 거랑 제가 한 게 좀 연결이 된다.

김호진 국가라는 것이 단일한 체계로 만들어지면서 – 근대교육이 만들어지면서 – 국가에서 원하는 교육(상)이 개미였다. 배짱이가 아니다. 개미처럼 일하라는 그것이 국민이 전부라는.

원향미 레오 리오니의 작가가 만든 동화 『프레드릭』은 문화 다양성, 문화 포용성. 배짱이 조차도 사회 구성원으로 인정할 수 있는 책이다.

김호진 저희들은 얼마 전에 예술교육과 예술가에 대한 교육을 작년 연말에 해보았는데. 얘기해봤던 부분이 있다. 예술 교육이라 하더라도, 교육이라는 곳에 많은 방점이 찍힌다. 예술활동을 하는 예술가로서의 역할이 연결은 되지만, 서로 다른 영역이라 한다. 예술교육은 또 다른 전문 영역처럼. 예술 잘한다고 예술 교육을 잘 하는 것이 아니니. 예술 교육이 화두이기도 하고, 진지하게 안에 그 내용을 사실 예술가와 구분되는. 칼 자르듯이 영역 자르듯이 되지는 않겠지만. 예술교육이 특화되어서 예술가가 예술에 대해 얼마나 고민을 하고 있느냐에 대한 이야기들이 되면 좋지 않겠나. 예술교육만 고민을 하셨던 분들이 주로 미술 쪽에 많으시다. 음악, 미술. 그런 부분들이 예술활동 안 하시는 것은 아니지만, 훌륭하다고 말하기보다는 좋은 성과를 가지고 사람들과 같이 할 수 있는 사례들을 만든다. 예술가가 예술교육에 대한 고민을 많이 하지 않는 것은 사실이다.

원향미 예술가들이 예술교육자로 활동해보고 싶다고 했을 때, 그것을 이어줄 수 있는 것이 없다. 예술교육에 한 번 진입했던 분들은, 그 대상이 한정되기도 한다. 예술가-예술교육을 체계적으로 뒷받침할 수 있는 형태가 없다. 외국에서는 예술교육이라기보다는 예술참여라고 한다. 상호작용을 통해서 예술을 만들어내는. 예술가의 활동영역을 넓히기 위한 제도적인, 안착하는 시스템을 만들 필요가 있다.

김호진 사실 예술교육이라는 부분과 관련하여 국가에서 제도적인 뒷받침이라는게 사실 일자리 사업을 목적으로 많이 만들어지는 것이 전부다. 그렇기에 예술교육이라는 활동이 나의 예술과 어떻게 이어지는가에 대해 고민이 아니라, 애들이랑 수업 몇 시간 하면 수입이 되니까. 수입 구조로만 인식되고 있지 않을까.

박진명 매개자라… 할 말이 좀 많아서. 지금 연구에 참여하고 있는 게 예술교육사, 문화예술교육사, 연구를 참여하고. 하나가 서울생활지원센터에 참여하고 있다. 말씀하시는 것처럼 예술교육 전체적인 영역이, 부산에서 매개 양성 실패로 진단하는 것은 이러한 조처가 지원사업으로 경험하라는 것 외엔 없기 때문이다. 수요자들의 어떠한 것을 찾아서 설계하고 이러한 교육이 전무했다. 매개자를 양성시키기보다는 공모지원사업에 들어오는 사람을 그저 참여하게 하는 그러한. 사실 이렇게 안착되었기 때문에. 토요문화사업 등등이 문제가 되는 것은 아마 공모로 계속 돌려가는 것이라 생각하고 있다.

사업자 등록증 만들라고 재단에서 한동안 푸시를 많이 했다. 예전에는 고유번호증으로 많이 했는데, 사업자 등록증을 취득하라고 장려를 했다. 베짱이를 사업자 등록증을 만들어서 개미인 것처럼 보이게 하는 계량성. 사실 이게 일자리 계수를 위한 것이 아니었을까. 그러나 그렇다하더라도 절차 간소화랑 일자리 카운팅 외에, 사업자등록증을 만들었다면, 이걸 계속해서 활동을 할 수 있게 하는 그러한 형태를 만들기 위한 고민을 해야 하는데. 사실 이러한 부분이 없었다. 그저 진행될 뿐. 그 당시에 나는 의아했다. 왜 이렇게까지 장려하는지. 예술인 파견지원사업과 노동의 관계는 재단에서 하는 굿모닝 예술인, 예술인복지사업을 보면 된다. 예술인 파견지원사업은 기업에다 예술인을 파견하는데, 실제로는 아무것도 안 해도 된다. 그냥 회의 참여만 하기도 하고. 반면 굿모닝 예술인은 완전 빡세게. 기업에서 요구하는 무엇인가를 해야 한다. 둘 다 좋은 모델이 안 된다. 하나는 진짜 노동을 해야 하고, 하나는 괜히 기업이랑 매칭을 해서 아무 성과를 내지 않아도 되는, 또는 기업에서도 아무런 이익이 없다. 이 두 가지를 같이 보면서 예술과 노동이 같이 어떻게 볼 수 있을지에 대한 고민을 해야 한다.

예술의 유료화. 민간에서 예술이 유료화를 제안하더라도, 반색을 표한다. 복지성 사업들은 절대로 받지 말라고 한다. 문화재단에서 하는 사업들도 받는다 하더라도, 어디에다 쓸 거냐고 하면 하다못해 술값으로 쓴다 해도 증빙해라는 말을 한다. 그래서 아직까지는 유료화를 장려해야하는 분위기는 아니다. 하지만 유료화를 계속해서 안착하지 않으면, 시장은 형성되지 못한다. 양질의 프로그램이 만들어지더라도 소비되지 않을 것이다.

김동규 유료화를 부분적으로 진행해서, 단체가 자생성을 가지게 해야 하지 않나. 소비자를 끌어올 수 있는 견인차 역할을 좀 해야 하지 않겠나.

원향미 보조금 차원에 사업비를 지원하면서 유료로 공연을 진행한다고 했을때 관공서에서 무료로 해야한다고 했던 적이 있다. 용역이 아닌 보조금 차원의 사업인데도 무료화가 진행된 경우가 있다.

박진명 문화재단에서 진행되는 공모사업 또한 무료로 진행되는 게 파다하다. 어쨌든 그게 겹쳐진 게 문화가 있는 날. 수요일마다 무료프로그램이 몰리니까, 참여자를 찾는 거에 다 실패를 한다. 올해 와서는 주간 안에서 해라, 라고 느슨하게 풀렸다. 지역 안에서의 문화 실험, 생태계 구축. 이는 중요하다. 지역에 있는 예술가들, 지역에 행사 때 좀 쓰고 최소 비용을 얼마나 줘야 되는지에 대한 논의를 제안하니, 복지관 측에서는 필요는 한데 왜 굳이 이 자리에서 해야 하냐 이런 말도 있었다. 어쩌다보니 이야기를 하니 20~25만원 이런 이야기가 오고 가다가 다음 담당자가 오니 원상복귀가 되었다. 이후에는 대학생 데려와서 공짜로 하거나, 차비만 주는 상황이 파다했다.

김동규 예술 교육도 마찬가지인 듯하다. 이론 강사로 나가는 것과 문화예술 강사로 나가는 것 사이에 사례비 지급 차이가 굉장히 차이가 많다. 그런 부분에 대해서는 실효성 있는 사례비 지급이 필요하다.

원향미 실기 강사 페이가 따로 있다. 취미 소양레크레이션 교육비. 예술교육은 다 이런 걸로 들어가고. 학위가 있는 사람은 또 다르게 책정이 된다.

김동규 같은 교육을 하는데 레벨이 달라지니. 그런데 이게 교육청이 제일 심하다. 활동가 같은 경우는 5만원 정도 밖에 안 된다. 교육청은 교육부 지침이라 하더라.

원향미 구청에서는 평생교육 등이 자원봉사의 개념이었다.

박진명 그런 동아리를 꾸리는 사람이 생활문화동아리를 꾸리게 되니. 자기 선생님 이런 상황이 생겨나는 것이다.

김호진 동아리에 교사를 파견하면서 생기는 문제가 참 다양했다.

박진명 생활문화동아리 초기에 세팅할 때, 그렇게 되면 안 되었다. 예술동아리 개념으로. 차라리 성과를 빨리 내려고.

원향미 동아리가 또 다른 권력이 되고 있다. 생활문화동아리에 포함되지 않는 동아리는 또 지원이 되지 않고.

박진명 서울 쪽이랑 생활문화 이렇게 되면 안 된다라고 가닥을 잡고 있다. 동아리 연합회가 큰 이익이 되는 집단으로 되는 것이 문제다. 생활문화정책이 동아리 육성이나 공간 지원이 아니라고 가닥이 잡히고 있다.

원향미 사실 동아리는 생산과 소멸이 굉장히 자유로운 곳이다. 사실 이건 실체가 없다고도 볼 수 있다. 그래서 자금지원을 계속 받기 위해 자발적인 동아리임에도 불구하고, 억지로 활동을 이어가는 무리를 하게 되기도 한다.

박진명 생활문화동아리는 예술가와 협업히는 것을 싫어한다. 생활문화동아리 참여하는 사람들은 '나는 이미 예술가'라고 생각하는 부분도 있다. 나이도 어린 예술가와 함께 하려고 하는 것을 싫어한다. "지나 내나! 내가 몇 년이나 했는데!" 이런 인식이 있다.

김호진 예술이라는 것에 대한, 어떤 것이 예술인인가에 대한 구분이 좀 필요한 부분이다. 굉장히 모호하지 않느냐. 예술하는 사람을 예술인이라고 한다면, 특정인만 예술을 하는 것이냐, 그것을 예술로 인정할 것이냐. 그런 부분도 있다.

원향미 예술을 업으로 하는 사람만 예술인으로 볼 것이냐. 그러면 생활예술인과 예술교육인은 어찌 생각할까.

김동규 동아리를 형성해서 만드는 것은 행정적인 성과나 계량을 위한 것이다. 그러면 어떻게 하는 것이 좋나.

원향미 하나의 실체를 가지고 있다고 생각을 해야 한다(생활문화동아리). 좋은 의도로 의도를 가지고 했다가, 그런 부분은 강제성을 띄는 것이 아니니. 거기에서 지원을 하면 계속 이 밑 빠진 독에 물 붓기처럼 보일 것이다. 그 사람들이 진짜 예술가를 만날 수 있는 구조는? 저변확대라는. 원래 실체가 없는 생활문화동아리에서 최소 1~20년을 봐야하는데. 당장 성과가 나는 기금을 지원한다고 해서. 과연 성과가 날까? 하는 의문이 든다. 생활문화동아리체가 사실 조직체가 없다고 생각한다.

박진명 생활문화 영역에서 주장하는 것은 커뮤니티라고 주장한다. 생활문화는 커뮤니티 중심으로 가야하지, 중앙-지역 중심이 아니다. 생활에 생활권 개념을 넣으면 청년 밑으로 다 빠져야 한다. 스스로 주민이라 생각하는 부분, 이것이 바로 평생교육과 연결되는 지점이다.

생활권의 개념은 살고 있고 학교를 다니는 것이지, 문화권이라는 생각이 들지 않는다. 그래서 생활문화영역에서는 생활권이 아닌 생활상의 개념을 가져야한다. 그래서 커뮤니티를 형성하고 활동을 해 한다.

김동규 동아리는 장르별 성격이 강하고 커뮤니티는?

박진명 생활상이라고 하는 것은 6살에 아이를 키워. 그런 아이를 키우는 사람들이 모여서 표출하는 어떤 것. 청년들끼리 모여서 문화적으로 그 고민을 푸는 것. 스트레스를 푼다는 것 등이 생활상이다.

김동규 생활의 고민을 문화예술적 역량으로 표출하도록 하는 것인가?

김호진 자기 고민이나 자기 주제에 대해서 사람들이 모이는 것이 세대별로 모이는 것과는 다르다고 생각한다. 직장인 같은 경우에는, 가족보다 직장 사람들을 더 많이 보고. 지역 어르신들은 동네에서 자기 생활 기반을 가지고 있다. 자기는 자기들만의 고민이 있다. 그런데 이 고민을 중심으로 두고 지원을 하지 않고, 공간을 토대로 지원한다면 문제가 되다. 사람마다 자기 생활권이 다른데, 자기의 각자 생활권이 달라도 고민을 같이 공유하려고 하면 다 모이게 된다.

박진명 문화예술적인 방법론을 활용해서 생활의 고민을 공유할 수 있는. 지역 어르신들에게 그게 방법일 순 있는데.

김동규 같은 고민으로 모여서 문화적 방법으로 이를 표출할 수 있는 방법을 같이 모색하는 것인가?

박진명 그렇다.

김동규 행정을 중심으로 지원이 된다는 의미인가?

박진명 그런데 이게 잘못 적용되면 어떻게 되냐면. 그 지역 사람이 아닌 사람이 동아리에 들면, 인정을 안 해주게 된다. 현대의 도시문화와도 연결이 되지 않는 지원체계다.

발제_ **박진명**(지역 청년에게 필요한 세 가지)

원향미 문화영역의 청년지원정책과 관련하여 물리적인 데이터가 쌓이고는 있다. 양적인. 돈이 얼마고, 몇 권이고 등등.

김동규 다음을 모색하지는 못하고, 지원을 했다는 정도만 알 수 있는 수준에 그치는 것이지 않은가?

원향미 그렇다. 문학 같은 경우에는 유통여부를 쉽게 확인할 수 있지만, 지원 다음 단계에 대한 지원이 필요하다는 의식은 최근에 나오기 시작한 것 같다.

박진명 매개인력양성 부분에 관해서 말하자면, 부산에서는 5년 동안 청년문화 인력, 이런 아카데미가 있었다. 그거는 커리큘럼이 약하다. 그런 특강 식에 약간의 워크샵을 더한 것이 전부다. 이런 거 말고, 경남이나 울산에서 하는 지역문화전문 인력은 강좌워크샵이 일 년짜리로 4~5년 돌아가고 있다. 그 사업을 통해서 초기 진입하는 사람 중 스타플레이어가 나온다. 경남에서 문체부 상, 삼등상 해서 관광연구원상인가 그걸 경남에서 받았다. 이 체계에 들어가 있지도 않으니, 부산에서는 다양한 교육을 받으며 성장하는 사람도 보이지 않고, 중앙정책에서 하는 거에서 나오는 부산사람도 보이지 않고. 전반적으로 울산경남은 상승하고 있는 분위기인데 부산만 내리막길이다.

원향미 지역문화전문인력 양성은 권역별로 지정을 하는 사업인가?

박진명 그렇다. 부산은 넣었어도 1-2년간은 떨어졌다. 주변의 상황이나 보면, 저희는 생각보다 참담했는데 부산에서 과하게 2000명 양성한다하니.(부산2030 문화비전)

원향미 흐름 자체가 부산에서는 막혀있는 듯하다. 문화전문인력 양성 또한 그렇고.

김동규 예술가가 향유자가 어떻게 연결될 것인지에 대한 고민이다. 그리고 그 매개가 어떻게 형성되어야 할지도 고민이다. 풀뿌리 차원의 문화적 환경을 구축하는 것도 좋겠지만, 생산자와 향유자를 매개하는 중간지원 체계를 구축하는 것이 매우 중요하다는 생각이 들었다.

문화매개 부분을 중심으로 간단히 요약하자면 아래와 같은 제안을 할 수 있을 것이다.

〈문화매개의 문제〉

- 장소와 공간을 제공하고 조성하는 역할
- 교육, 기획, 마케팅, 유통, 운영 및 경영, 브랜드 개발, 홍보와 같은 매개 인력 양성과 참여의 개방성(문화민주주의)
- 양성된 인력에게 실질적 자원과 기회를 부여
- 사업 사전 관리, 중간 관리 및 사업 사후 관리를 위한 지표조사,
- 정량적 평가, 정성적 평가, 유관 데이터(ex. 문화다양성 지표활용) 등 평가의 다원성 확보, 데이터 작성을 통해 피드백을 제공
- 전통적인 것을 넘어선 실험적인 장르와 실천에 대한 허용
- 시장, 행정, 풀뿌리 사회, 전문 인력 및 단체 사이를 매개
- 도시재생사업, 건축, 복지, 지역 경제 등과 같이 유사한 사업이나 영역을 문화와 연계하여 지역 문화의 자생성을 높임
- 비평과 지식의 순환과 공유, 법제도 개선과 입법을 위한 매개지와 매개수단(지역매체) 구축
- 문화 정책을 위한 실질적인 협치 기반 구축과 실천
- 대학 및 공공기관 또는 유관기관과의 연계
- 미디어 매체 개발 및 활용의 다양성 인정 및 구축
- (문화점이지대와 같은 행정적 상상력이 행정 지역을 넘어서 구현될 수 있도록) 행정 단위를 넘어선 문화정책 실천.
- 이상을 종합적으로 실천할 수 있는 중간지원체계의 구축
- 지역 예술문화생태계의 (생산-매개-수용) 선순환구조 창출
- 이상을 통한 지역 문화정체성의 지속적 생산

지금까지 지역문화 토양을 위해 많은 활동을 해 오신 것에 감사드리며, 앞으로도 지역문화 발전을 위해 계속해서 관심을 가지고 힘써 주시기를 바란다. 오늘 집담회에 참여해주어 감사드린다.

부 록

1. 동아시아 공공성과 시민의제 발굴을 위하여
2. 독립예술영화전용관이 지역 공동체를 만났을 때
3. 부산 중학생 300여 명의 목소리
4. 마을과 함께 해서 즐거운 우리 학교, 동구
5. 강서고의 『시민의제사전 2018』 후기
6. 부산의 복지사들이 경험한 여성차별 그리고 …

부록 1

동아시아 공공성과 시민의제 발굴을 위하여[1]

김동규, 김성민, 서광덕, 서용태, 이선화, 이홍규, 정영현, 제점숙

1. 동아시아 의제를 마련하는 이유

- 동아시아 정체성을 토대로 한국인의 정체성 확보
- 다른 지역의 정체성과의 대등한 상호 긴장과 균형을 형성하기 위함.
- 동아시아 체계에서 의제를 형성하기 위해 초국적(초민족적) 관점의 의제 형성이 필요.
- 지구적 또는 세계시민적 의제를 형성/발굴하기 위한 새로운 단위로서 동아시아 단위의 의제 필요.

2. 근대 동아시아 담론의 궤적들

- 아편전쟁으로 인한 중국의 패배는 서구의 침입(서세동점)에 대한

1. 이부분은 〈제20차 동서대(DSU) 중국학술토론회〉의 일환으로 2019년 12월 06일(금) 오후 5시 동서대학교 중국연구센터에서 열린 "동아시아 공공성 구현을 위한 동아시아 새로 읽기"라는 학술대회의 결과(발표: 김동규, 서광덕, 서용태, 정영현/ 토론: 김성민, 이선화, 이홍규, 제점숙)를 요약한 것이다. 앞으로 국가나 도시 의제를 넘어서 부산에서 생산되는 동아시아적 의제를 지속적으로 발굴할 것이다.

방어의 이유로 동아시아성 확보가 필요했음.(아시아주의의 탄생) 이에 동문동종(同文同種)과 같은 공통성에 기반을 두어 황인종이 백인종에 맞서야 한다는 동아시아 담론 등장.

- 러일 전쟁 승리 이후 동아협동체, 대동아 공영권과 같은 일본 주도의 제국식민주의적 동아시아 담론도 다수 등장함.
- 동아시아담론의 다양한 유형들: 동아시아 문화정체성론, 동아시아 대안체제론, 동아시아 발전모델론, 동아시아 지역주의론, 아시아적 가치론, 유교자본주의론, 유교민주주의론, 동아시아 공동체론, 민간차원의 연대론, 성찰적 동아시아론 등이 있었음. 예컨대 다루이 도키치의 대동합방론, 량치차오의 대동합방신의, 안중근의 동양평화론과 쑨원의 대아시아주의 등이 있었음. 그 외 가쓰 가이슈의 흥아회에서 출발한 아세아협회 그리고 이에 뒤이은 동아동문회와 같은 운동이나, 아주화친회, 동방무정부주의 연맹과 같은 운동도 있었음.

3. 동아시아 의제의 방향

- 동아시아 정체성의 범위를 설정하고 여기서 작동할 공공성의 역학을 밝힌 후, 이 공공성 창출의 기반이 될 시민성이 어떠해야 할지를 규정함.
- 기존의 국가 공공성의 한계를 탈피하려면, 동아시아 공공성은 새로운 공적 가치를 발명해야 할 것이므로, 동아시아 공공성은 기존의 공공성의 한계를 인식하면서, 동시에 새로운 공적 잠재력을 가진 가치를 발굴 할 수 있는 구조여야 함.

- 탈서구적/식민적이며 동시에 기존의 공공성에 상처 받고 취약한 시민의 입장(배제된 자들의 공공성)에 서서 새로운 공공성을 모색하여야 좀 더 포괄적이고, 평화적인 공공성 가치가 발굴 될 것임.
- 전근대적 동아시아 공공성(ex. 중화주의, 조공체계)와 근대적 동아시아 공공성이 어떻게 구분될 것인지를 분명히 해야 함.
- 동아시아 공공성의 궁극적 목표는 아시아적 화해-평화-인권-연대 등의 가치에 기반을 두고, 1) 다른 지역(유럽과 북아메리카, 아프리카, 중/서 아시아, 라틴아메리카)의 공적 가치와 생산적 긴장을 유지하는 것, 2) 1을 통해 지구적 공공성을 형성하고 지역적 공공성을 매개하는 것 그리고 최종적으로 동아시아 공공성에 기반을 둔 시민성의 가치를 상호계몽하는 동아시아 민주시민교육과 운동의 틀을 마련하기.
- 이러한 동아시아 공공성은 그 내부의 다양성을 인정하는 것이자, 배제된 존재들을 통해 지속적으로 새로운 동아시아 공공성을 생산하는 역동을 허용하는 것이어야 함.

오오극장 그리고 커뮤니티시네마

권현준

1. 오오극장 설립 경과

- 1999년 대구독립영화협회 창립
- 2000년 대구단편영화제 시작 – 안정적 상영공간에 대한 고민 시작
- 2012년 민예총 주최 '대구의 결핍' 토론회 : 독립영화전용관 필요성 제기
- 2013~2014년 대구경북독립영화협회, 대구민예총, 미디어핀다에서 가능성과 타당성 검토
- 2014년 9월 독립영화전용관 설립을 위한 추진위원회 구성 : 지역사회/영화인 50인
- 2015년 2월 11일 독립영화전용관 오오극장 개관 (서울 외 지역 최초의 민간 독립영화전용관)

2. 오오극장 운영 주체

- 설립초기 – 대구경북독립영화협회, 대구민예총, 미디어핀다 3

개 단체에서 실무팀 구성 및 운영

- 2015년 8월 - 대구경북영화영상협동조합 창립
- 2018년 - 대구경북영화영상사회적협동조합으로 전환 중
- 현재 조합원 수 - 약 30명 (제작자, 활동가, 관객, 시민사회 등)
- 운영인력 및 역할 : 총회, 이사회, 감사, 이사장, 사무국

사무국장 - 사무국장 1인, 사무국원 1인, 경영관리, 회계, 법인실무 총괄

프로그래머 - 1인, 상영작 프로그램, 기획전 및 특별전 기획

상영본 수급 및 관리, 대관업무

정책기획팀 - 1인, 정책 및 교육사업, 네트워크 활동

홍보팀 - 1인, 홍보사업, 홈페이지 및 SNS 관리, 삼삼다방 운영 및 관리

3. 오오극장 운영 기조

①대구독립영화전용관 오오극장은 대구지역 유일의 독립영화전용관으로써 국내외 독립영화들을 상영하는 정식 개봉관이다.

②대구독립영화전용관 오오극장은 지역영화를 지속적으로 발굴하고 상영해, 지역영화 생태계의 자생력을 키우고 그 저변을 확대해 나가는 지역 중심의 영화관이다.

③대구독립영화전용관 오오극장은 '커뮤니티시네마'로써 지역의 관객 그리고 다양한 공동체들과 함께 영화 상영 프로그램을 기획하고, 그들의 이야기가 소통되는 공동체적 영화공간이다.

④대구독립영화전용관 오오극장은 그 운영 주체를 '사회적 협동조합'으로 해, 영리추구가 아닌 지역영화 및 독립영화 전반의 발전을 위해 노력하는 공공의 영화관이다.

4. 오오극장 프로그래밍 원칙

①오오극장은 지역 독립영화전용관으로서 대구/경북 지역 독립영화를 포함한 한국독립영화를 중점적으로 개봉프로그램을 구성한다.

②영화진흥위원회로부터 한국독립영화 인정을 받지 않은 한국예술영화의 경우 대구지역의 상영 회차와 작품성을 검토한 후 그 횟수가 저조한 작품을 우선적으로 선택한다.

③개봉작으로 선정된 작품은 최소 2주, 14회 상영을 보장한다.

④프로그램을 구성할 시 최대 5작품을 넘지 않는 것을 원칙으로 한국독립영화의 상영 회차를 기본적으로 보장한다.

⑤특별전, (비)정기 기획전을 통해 단편영화, 미개봉 독립영화를 상영한다.

⑥오오극장은 아래와 같은 비율을 목표로 프로그램을 구성 한다. 개봉작(한국독립영화 60%, 대구.경북 지역 독립영화 10%, 예술영화 10%), 기획적, (비)정기상영회 10%, 대관 10%

⑦대구/경북 지역 독립영화의 개봉작 비율은 유동적이며 지역 영화 개봉작이 없는 경우 잔여 비율을 한국독립영화와 예술영화로 확대 할 수 있다.

5. 커뮤니티시네마Community Cinema

'커뮤니티시네마Community Cinema'는 영화를 매개로 다양한 공동체와 소통하고, 관객에게 한발 더 가까이 다가가기 위한 오오극장의 상영 및 관람 정책입니다. 커뮤니티시네마는 일방적서비스로 이익을 추구하는 대형멀티플렉스와는 달리 관객들의 다양한 영화취향과 관람형태를 존중하고, 관객이 직접 참여하며, 늘 상상하고 변화하는 영화관을 지향합니다. 또한 사회적 문제의 해결을 위해 활동하는 공동체와 함께 상영회를 기획하고 진행함으로써, 영화를 통해 그 공동체가 해결하고자 하는 이슈가 지역 사회에서 소통되고 확장될 수 있도록 기여합니다.

커뮤니티시네마라는 개념은 경우에 따라 폭넓게 해석될 수 있지만 보다 쉬운 이해를 위해 다음과 같이 커뮤니티시네마의 '유형'을 나누어 소개하고자 합니다.

● 관객 요청형 : 함께 보고 싶은 영화가 있다? 지금! 상영요청하세요!

(함께 만드는 상영시간표)

- 대구경북지역 극장에 개봉계획이 없거나 개봉되지 않은 혹은 개봉 시기가 지난 한국독립영화, 예술영화, 단편영화, 실험영화 등에 있어 관객들의 요청이 있을 시, 오오극장이 영화를 수급하고 재개봉 혹은 특별상영합니다.
- 진행방식 : 영화를 보고자 하는 관객이 오오극장의 홈페이지, 이메일, 페이스북, 전화 등으로 최소 2주일 전까지 요청하면 작품을 수급하여 상영.(※ 일부 영화는 경우에 따라 수급이 불가능)
- 조건 : 동일한 시간대에 영화 관람 희망자 20명 이상(경우에 따라 관객 수 제약 없음), 영화진흥위원회의 등급을 부여받은 영화는 특별상영 혹은 재개봉, 그렇지 않은 영화는 대관상영.

● 커뮤니티 맞춤형 : 공감98% 우리들만을 위한 상영회!

- 다양한 계층, 취향, 커뮤니티의 특성과 조건에 맞게 상영을 합니다. 커뮤니티에서 함께 보고자 하는 영화가 개봉을 앞두고 있을 때 오오극장으로 먼저 제

안해주셔도 좋습니다.

(대상 예시) 청소년, 여성, 고령자, 장애인, 학술모임, 예술가(예술동호회), 영화동아리, 다양한 직종의 직업인, 팬클럽 등

(상영회 예시) 장애인을 위한 베리어프리 영화 상영, 학술강연과 상영을 묶은 기획, 전시가 있는 상영회, 서민들의 사는 이야기(민중생활사)와 영화의 만남, 야외영화제 기획 등

- 진행방식 : 각 영화의 성격에 맞는 커뮤니티와 연계하여 관람에 맞는 조건을 갖추면 할인, 상영 후 강연, 대화, 묶음상품 등의 추가서비스와 이벤트를 공동 기획.

● 이슈 확장형 : 함께 영화를 보면 상상은 현실이 된다! 세상을 바꾸는 영화

- 우리 사회가 직면하고 있는 다양한 사회적 문제를 해결하고, 긍정적인 대안을 공유하고자하는 하는 공동체와 함께 상영회 및 영화제를 기획합니다.

(대상예시) 시민운동단체(환경, 노동, 성소수자, 장애인, 여성, 이주민, 복지, 인권 등), 마을공동체 및 마을운동가, 예술단체 및 예술가 등

(상영회 예시) 탈핵 소재 영화 상영 후 감독과 탈핵 전문가의 토크, 탈핵서명운동 등 캠페인 진행.

- 진행방식 : 영화상영+감독과 전문가 토크, 영화상영+전문가 강연, 영화상영+서명운동 등 캠페인 등

● 관객 프로그램형 : 관객이 직접 기획하는 영화제! 관객 프로그래머가 되어주세요.

- 오오극장에서는 관객 프로그래머 제도를 운영해 상영영화 중 일부를 프로그래머와 함께 선정하고, 관객 프로그래머 영화제를 함께 기획합니다.
- 진행방식 : 관객 프로그래머는 매년 모집 공고를 통해 모집하며, 서류 및 오오극장 프로그래머 면담을 통해 최종 선정됩니다. 활동기간은 1년이며, 최대 1년 연장 가능합니다.

• 관객 프로그래머의 구성

인원 : 8명, 임기 : 1년 (최대 1년 연장 가능) , 기획단 회의 : 월 1회

역할 : 오오극장 특별상영, 기획전, 관객프로그래머 영화제 등 기획 / 리뷰작성 / GV 모더레이터

6. 오오극장 프로그래밍 원칙

- 2014년 : 오오극장 미리보기
- 2015년 : 오오극장 개관 기념영화제, 인디다큐페스티발 in 대구, 세월호 1주기 추모전, 대구근대영화제 (공동, 대구근대문화제), 서울독립영화제 순회상영회 인디피크닉 (공동, 서울독립영화제), 제7회 퀴어영화제, 프라이드영화제 순회상영회
- 2016년 : 오오극장 개관 1주년 기념영화제, 우리, 할머니(공동, 정신대할머니와 함께하는 시민모임, 희움 일본군위안부역사관), 세월호 2주기 추모전, 서울독립영화제 순회상영회 인디피크닉(공동, 서울독립영화제), 사회적경제영화 특별전(공동, 대구시 사회적경제지원센터), 제8회 대구퀴어영화제(대관, 대구퀴어문화축제), 인디애니유랑단(공동, 인디애니페스트), 청년영화제(대관), 전태일 노동영화 특별전(공동, 전태일 대구시민노동문화제), 홈리스영화 특별전(공동, 대구 쪽방상담소), 시국영화제
- 2017년 : 오오극장 개관 3주년 기념영화제, No Country For People(용삼참사 특별전 / 공동, 인디스페이스), 제8회 DMZ국제다큐영화제 앵콜상영회, 세월호 3주기 추모전, 대구 평화영화제(공동, 평화통일대구시민연대), 미디어로 행동하라 in 성주/김천 특별상영회, 서울독립영화제 순회상영회 인디피크닉(공동, 서울독립영화제), 대구 마을공동체 영상 공모전(공동, 대구시 마을공동체만들기지원센터), 전태일영화제(공동, 전태일 대구시민노동문화제), 인도&방글라데시 영화특별전(대관, 대구경북시네마테크), 장 피에르 멜빌 회고전(대관, 대구경북시네마테크), 대구독립영화 연말정산 2017, 민중생활영화사

'만영만인보'

- 2018년 : 관객 프로그래머 영화제 '우리영화 베스트', 개관 3주년 기념 영화제, 서울독립영화제 순회상영회 인디피크닉(공동, 서울독립영화제), DMZ국제다큐영화제 앵콜상영회 아카이브 특별전(대관, 대구사회복지영화제), 전쟁과 여성 특별전 : 그녀들의 이야기(대관, 대구경북시네마테크), 관객 프로그래머 영화제 '우리는 같은 꿈을 꾼다', 그린아카이브 쇼케이스전(대관, 대구사회복지영화제), 대구 마을공동체 영상 공모전(공동, 대구시 마을공동체만들기지원센터), 전태일 48주기 노동영화 특별전(공동, 전태일 대구시민노동문화제, 대구사회복지영화제), 소피아 로렌과 비토리오 데 시카 특별전(대관, 대구경북시네마테크), 민중생활영화사 '만영만인보', 대구독립영화 연말정산 2018
- 정기 기획전 : 개관 기념 영화제 : 연 1회, 대구 독립영화 연말정산 : 연 1회, 관객 프로그래머 영화제 : 연 1회, 전태일 노동영화 특별전 : 연 1회(전태일 대구시민노동문화제 공동주최), 대구 마을공동체 영상 공모전 : 연 1회(대구시 마을공동체만들기지원센터 공동주최), 민중생활영화사 '만인만영보' : 연 1회, 관객 프로그래머 초이스 : 월 1회, 오렌지필름 기획전 : 월 1회, 보는 페미니즘 : 월 1회((사)대구여성회 공동주최)
- 기타 상영회 : 영화 관련 교육 프로그램 수료작 시사회, 단편영화 및 독립다큐멘터리 제작과정, 대학생 다큐멘터리 제작과정(대구 MBC시청자미디어센터 주최), 세상을 담는 아이들(대구 MBC시청자미디어센터 주최), 대구 '청년학교 딴길' 영화학과 및 수성구 '거꾸로 인생학교' 영화학과, 대구지역 커뮤니티시네마 네트워크 구축 사업 '우리 마을 영화관'(비극장 상영 모델)

7. 마치며

한 어르신 관객이 있었습니다. 오오극장을 찾아오며 지친 기색이 역력해 보였습니다. 다행히 상영 시간에는 늦지 않아 원하는 영화를 관람할 수 있었습니다. 그 어르신 관객은 입장하며 이런 말을 남겼습니다.

"그래도 여기는 사람이 전화를 받아서 수월타"

'커뮤니티 시네마'는 수월한 영화관이 아닐까 합니다. 영화관의 문턱이 낮을 때 다양한 공동체들이 영화관으로 수렴될 수 있다고 생각합니다. 오오극장이 함께하는 공동체는 다양합니다. 현장체험학습을 하는 청소년일수도, 삼삼오오 모이는 친구들일수도, 지역의 시민사회 단체일수도, 영화 관련 커뮤니티일수도 있습니다. 가장 중요한 것은 그러한 공동체들이 무엇을 상상하든 오오극장이면 같이 할 수 있겠다는 생각을 심어주는 일입니다.

관습을 뛰어넘는 새로운 극장을 기다리며

장희철

오오극장의 반영反影

몇 해 전 부산, 독립영화 전용극장 설립에 관한 소통이 유야무야 페이드아웃되던 시기에 이웃동네 대구에 오오극장이 설립되었다는 소식을 듣게 되었다. 이듬 해 관객과의 대화를 위해 찾은 오오극장은 지역에서 설립된 최초의 민간 독립영화전용관이라는 이유 외에도 아늑한 상영관과 예쁜 카페, 느와르적인 분위기를 풍기는 골목길 흡연장이 부러움을 자아냈다. 올해 사회복지영화제가 열리고 있는 오오극장을 찾았던 때에는 부산에 예술영화전용관 두 곳이 문을 닫은 시점이라 부러움의 깊이가 더욱 달랐다. 그리 길지 않은 시간이었지만 오오극장은 지역 극장으로서 지역 사회에 긍정적인 사회 · 문화적 효과들을 많이 만들어 내고 있었다. 지역의 독립영화 전용관으로서 영화예술과 영화인들의 지위와 권익을 보호하는 역할을 수행하였고, 이에 영화 예술의 미적가치와 창의성이 보호되는데 일익을 담당했다. 다양한 기획전과 영화제를 통해 지역에 문화적 다양성을 확보하고 이를 통해 건강한 담론이 형성되는 계기를 마련하였다. 최근 돋보이는 대구 영화들의 활약에는 오오극장이라는 건강한 자양분도 한 몫 했을 것이란 생각도 든다. 대구에서 보이는 건강함과 생동감에 비해 올해 부산이 보인 유난한 피로감과 열패의식은 '그래도 대구보다는 부산'이라는 알량했던 우쭐함을 쏘그라들게 만들었다.

그럼에도 불구하고 영화는 계속 만들어지고 있었고, 필요와 열망에 의해 새로운 극장찾기에 대한 소통 역시 활발한 움직임을 보이고 있다. 끈질긴 생명력이 장점인줄 알았던 비주류 영화 생태계가 사실 예민하고 가녀린 존재였다는 것을 알게된 지금, 보다 건강한 보금자리로서의 극장을 설립하는 과정과 운영 방안에 대한 심도있는 모색은 절박하게 풀어야 할 가장 큰 숙제일 것이다.

만남은 극장에서 다양한 방식으로

오오극장의 운영 기조와 프로그래밍 원칙에 오오극장이 지역중심의 커뮤티니 극장임과 지역 독립영화의 저변을 확대하는 역할을 수행하는 것을 명확하게 명시하고 있다. 또한 '사회적 협동조합'이 운영주체가 되어 지역 및 한국 독립영화 전반의 발전을 도모하는 공공성을 이야기한다. 이는 오오극장의 프로그램의 구성 비율에서도 확인할 수 있는 부분이며, 독립영화 전용관만이 할 수 있는 운영방법이다. 이러한 움직임은 오오극장이 독립영화 전용관으로서의 정체성을 뚜렷하게 만들어 주고 있다.

하지만 현재 부산에서 논의되고 있는 새로운 극장에 대한 모색은 독립영화와 예술영화를 함께 상영하는 독립 · 예술영화관이다. 독립영화와 예술영화가 구분되어지는 상황에서 예술영화 전용관과 다양성 영화관에게 독립영화의 상영비중을 높여 독립영화의 생태계를 보호하라는 요구는 맞지 않는다. 복수의 스크린을 확보하는 것이 가장 쉽고 빠른 해결책이 될 수도 있겠지만 현실적인 어려움 또한 만만치 않다. 그럼에도 현장에 몸담고 있는 입장에서 독립영화의 저변확대는 절실하기만 하고, 그렇기에 독립영화인들의 전용관에 대한 인식은 배급과정에서 확보해야할 스크린으로 인식하는 상황이 반복된다.

이런 현실에서 오지필름과 국도예술관이 함께하는 다큐멘터리 정기 상영회 '다큐싶다'는 작지만 소중한 움직임이라 할 수 있다. 다큐싶다는 단순히 관객들의 주목을 덜 받는 다큐멘터리의 상영기회를 확보하여 다큐멘터리의 저변 확대를 기대하는 것만이 아닌, 영화를 매개로 한 소통의 장을 통해 담론을 확장하는 시도를 한다. 기존에 관객이나 사회공동체가 주도하던 영화커뮤니티 운동에 영화인들이 게스트로 참석하는 것이 보편적이었다면, 다큐싶다는 부산에서 드물게 독립영화계와 예술극장의 긴밀한 협업이 커뮤니티를 형성하는 순간이라 할 수 있다.

우리가 상상하며 준비하는 극장에서는 이렇게 영화인들이 좀 더 적극적으로 관객들을 만날 수 있었으면 하는 바람이 생긴다. 좀 더 구체적인 방법이야 공론의 과정을 거쳐야겠지만, 지역의 특정 단체나 노조, 공동체 사람들이 지역 영화인들과 만나 그들 스스로의 이야기를 영화로 만드는 작업이 새로운 극장을 통해서 이루어 질 수는 없을까 생각해본다. 새로운 극장에서는 영화가 소비되는 것이 아닌, 관객이 스코어의 한 부분으로 치부되는 것이 아닌 공간이 되었으면 한다. 재미있는 이야기가 끊임없이 누구에게나 나올 수 있는 그런 극장을 기다린다.

도킹텍 프로젝트

DOCKINGTHEQUE PROJECT

Docking + CinemaTheque 합성어

Docking : 우주선이나 인공위성이 우주 공간에 접근하여 결합하는 일
CinemaTheque : 영화 보관소를 뜻하는 프랑스어
미국에서는 영화 클럽이나 연구소 등이 운영하는 극장
일반적으로 영화를 수집, 보관하고 상영하는 기관

"모든 것이 결합하는 공간 "
"모두가 함께하는 공간 " 이라는 의미를 가지고 있습니다.

DOCKINGTHEQUE PROJECT TEAM

김형준 이사장

단국대 영화콘텐츠전문대학원 석사
현 전주시네마 기획운영 팀장
영화 '시월의 끝' 외 다수 프로듀서

백성은 이사

군산대학교 컴퓨터정보공학과 석사
현 ㈜고백기술 기술 대표
다큐멘터리 '홍지랑이' 기획중

박영완 이사

청주대학교 영화학 학사
현 전북독립영화협회 이사장
단편영화 '주성치와 함께라면' 외 다수 연출

이가경 이사

덕여자대학교 방송연예 학사
S TV소설 '일편단심 민들레' 데뷔
영화 '인랑' 외 다수 출연

이보람 감사

우석대학교 연극영화 학사
전 ㈜고백기술 기획운영팀 대리
단편영화 '잠' 외 다수 프로듀서

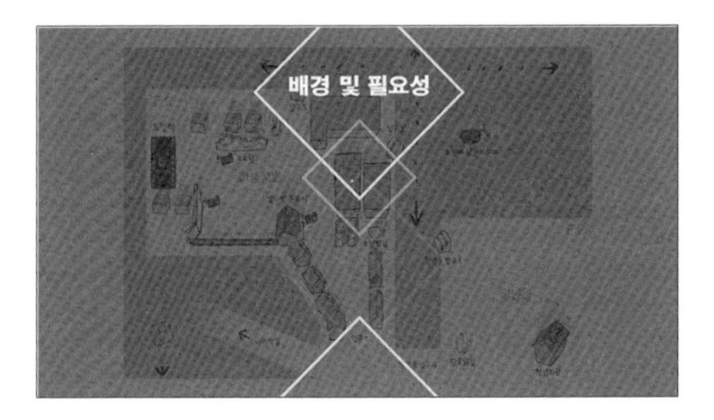

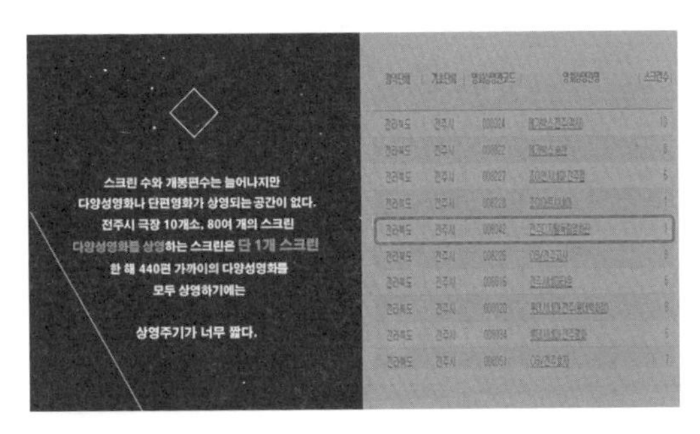
스크린 수와 개봉편수는 늘어나지만
다양성영화나 단편영화가 상영되는 공간이 없다.
전주시 극장 10개소, 80여 개의 스크린
다양성영화를 상영하는 스크린은 단 1개 스크린
한 해 440편 가까이의 다양성영화를
모두 상영하기에는
상영주기가 너무 짧다.

다양성영화 OK
독립장단편영화 OK
일시정지 시네마(춘천)
자체휴강 시네마(서울)
전북도 남녀노소 누구나 쉽게 접할 수 있는
다양성영화, 독립장단편영화를 만날 수 있게 하자!
콘텐츠 유통채널을 만들어 색다른 공간에서
쉽고 다양하게 소비자와 만나게 하다.

콘텐츠 유통채널
전용관을
만들다
유휴공간 재창출
- 전주남부시장 하늘정원
하늘정원

유휴공간
재창출
남부시장? 청년몰? 야시장?
하늘정원 도킹텍으로 오라!
전주 남부시장 내 2층 하늘정원은
몇 년 전까지만 해도 꼭 들러야 하는 관광지였다
많은 관광객들은 남부시장에 청년몰과 야시장만을 알고 있다.
하늘정원은 위치도 모른다.
도킹텍은 하늘정원과 함께 복합문화공간을 조성하려 한다.

다양성영화 상영
도킹텍프로젝트가 함께합니다
다양성영화 상영관 개관 이후
OO없는 영화제 진행 중
Without question.

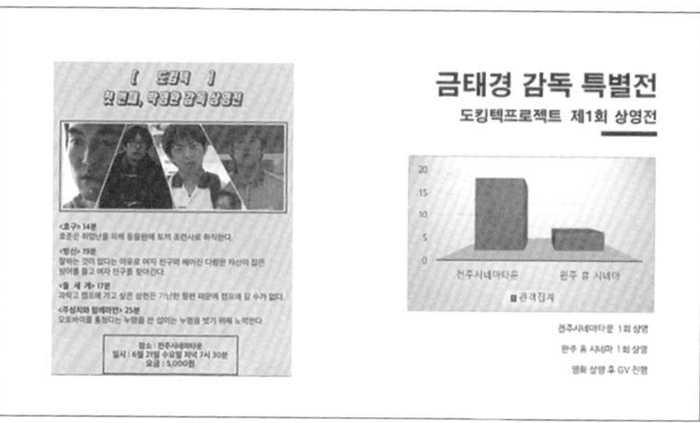
금태경 감독 특별전
도킹텍프로젝트 제1회 상영전
20
15
10
5
0
전주시네마타운
완주 휴 시네마
관객집계
전주시네마타운 1회 상영
완주 휴 시네마 1회 상영
영화 상영 후 GV 진행

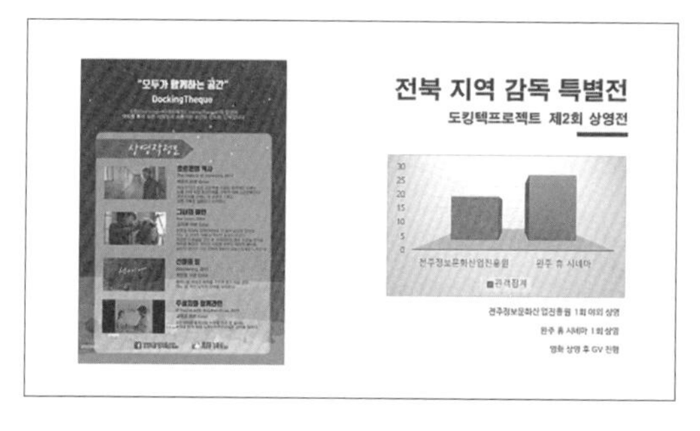
"모두가 함께하는 공간"
DockingTheque
전북 지역 감독 특별전
도킹텍프로젝트 제2회 상영전
30
25
20
15
10
5
0
완주 휴 시네마
관객집계
영화 상영 후 GV 진행

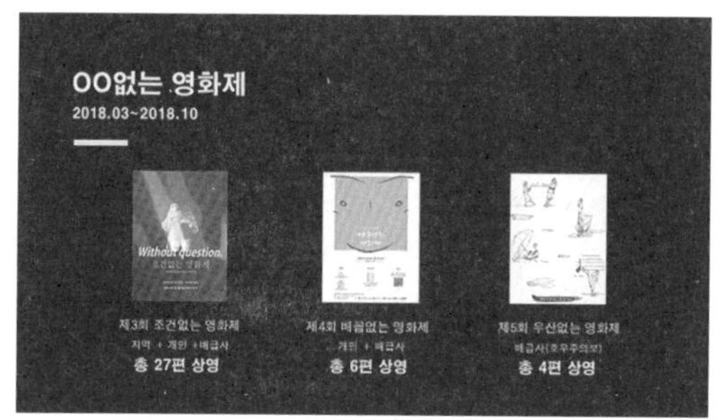
OO없는 영화제
2018.03~2018.10
Without question.
제3회 조건없는 영화제
지역 + 개인 +배급사
총 27편 상영
제4회 배곯없는 영화제
개인 + 배급사
총 6편 상영
제5회 우산없는 영화제
총 4편 상영

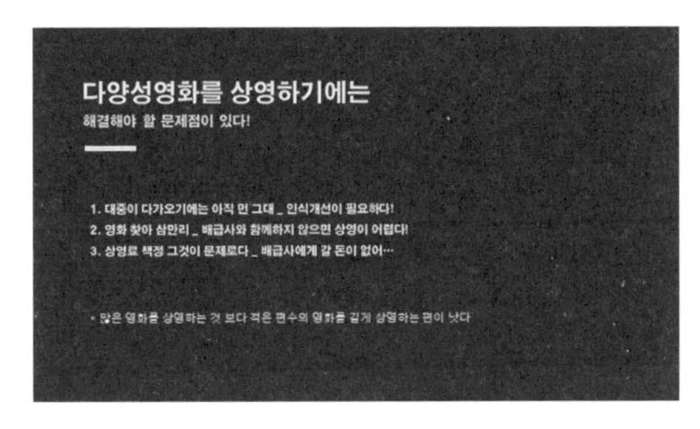
다양성영화를 상영하기에는
해결해야 할 문제점이 있다!
1. 대중이 다가오기에는 아직 먼 그대 _ 인식개선이 필요하다!
2. 영화 찾아 삼만리 _ 배급사와 함께하지 않으면 상영이 어렵다!
3. 상영료 책정 그것이 문제로다 _ 배급사에게 갈 돈이 없어…
• 많은 영화를 상영하는 것 보다 적은 편수의 영화를 길게 상영하는 편이 낫다

공연기획_미디어가든 도깨비놀이터
유휴공간 활성화를 위한 미디어 파사드 콘텐츠 개발 및 시연
하늘정원을 관광객들에게 알리고 소비할 수 있도록 만들어진 기획
도킹텍 전용상영관 내 마켓 운영으로 공간 활용

순수예술작가와의 콜라보를 통한 상품 기획 개발로
명작 영화 장면을 회화로 재해석한 아트상품이다.
영화의 도시 전주를 기념할 수 있으며,
실용적이고 지속 사용 가능하다.
상상 가능한 모든 것이 상품이 된다.
도킹텍
프로젝트
협동조합

“ 복합적 문화 허브로
DOCKINGTHEQUE PROJECT ”

'도킹텍 프로젝트'를 만나다

김현수

도킹텍의 모든 것이 결합하고, 모두가 함께한다는 의미가 다양성 영화, 단편독립영화를 중심으로 복합문화공간과 기획을 실현하고자 하는 협동조합의 취지를 잘 보여주는 것 같아 반갑다. 모퉁이극장이 지향하는 시네마피플테크도 도킹텍과 유사한 의미로 볼 수 있다. 모퉁이극장의 관객문화운동은 관객들의 활동을 아카이빙하며, 관객들의 영화향유 활동을 응원하여, 부산의 영화문화생태계에 긍정적 기여를 할 수 있는 주체적인 관객층을 형성하기 위한 운동이다.

도킹텍의 모든 것의 결합이라고 할 때의 결합되는 요소들에 그 고유성이 있고 특별함이 있다. 과거의 장소성의 현재화, 배급과 관람의 유기적 결합, 예술과 상품의 결합이 그렇다. 현재까지 이 결합의 결과가 어떤 이윤을 아직 창출하지 않았더라도 중요하게 가져가야 할 도킹텍만의 정체성이라는 생각이 든다. 영화상영에 한정하지 않고, 영화문화와 복합문화로의 확장성은 동시대성을 가진다. 춘천의 일시정

지시네마, 서울의 자체휴강시네마는 영화에 방점이 있지만 도킹텍은 그 범주가 더 넓다. 전주의 지역성과 장소성을 활용하고 살리는 방식으로 장소를 구성해 운영한다는 점, 전주 남부시장 하늘정원이라는 유휴공간을 재창출하여 젊은 관객들의 문화 향유 공간으로 만들고자 한다는 점은 부산에 소재한 공간 중 지역성을 가진 공간의 장소화에도 영감을 준다. 협동조합의 주요 운영진은 영화인들이다. 시민이나 관객들, 배급사들도 조합의 주체들로 함께 운영하는지, 운영과 활동의 방식이 궁금하다.

전북에서 남녀노소 누구나 쉽게 접하는 다양성영화, 독립장단편영화를 만나는 극장을 표방하고 있다. 일시정지시네마, 자체휴강시네마의 경우 주로 젊은층이 주관객층이다. 한쪽에는 참신하지만 참여연령대가 한정된 영화공간이 있고, 다른 한쪽에는 전국미디어센터, 시청자미디어센터같은 전연령대가 찾는 공공문화공간이 있는 듯하다. 모퉁이극장의 경우도 영화를 좋아하는 관객이라면 누구나 찾는 극장을 표방하고 있다. 특정연령대가 아닌 전연령대가 함께할 수 있는 극장의 모델을 만들기 위해서는 프로그램에 기울이는 노력만큼 관객과의 교류와 소통에 시간과 비용을 투여해야 하므로 쉽지않은 문제이다.

도킹텍 프로젝트가 만든 상영회들의 발상과 포스터를 보며 참신하다는 생각이 든다. 순수예술작가와의 콜라보, 아트상품 개발도 그렇다. 아트상품 개발이 도킹텍 활동에서 차지하는 비중, 그리고 상품판매의 결과가 조합의 존속을 위한 재정적 수입으로 확보되고 있는지 궁금하다. 앞으로도 영화굿즈의 고유한 모델을 도킹텍이 만들어주었으면 한다.

영화를 중심으로 한 협동조합이 어떻게 지역과 공간, 프로젝트와 사람들이 결합하며 새로운 문화를 만들어가는지를 보여주는 도킹텍 프로젝트의 발제에 감사드린다.

『독립예술영화전용관이 지역공동체를 만나기 전에』를 읽고

김동규

우선 민주시민교육원 나락한알이 독립예술영화전용관 설립 또는 건립과 관련한 토론회를 위해 어떤 기여를 할 수 있을지는 의문이다. 시에서 민주공원을 위탁 받아 관리하는 부산민주항쟁기념사업회가 관리 인원 중 1명을 나락한알에 파견하여 근무시킴으로써 1명분의 급여가 해결되고 있고, 매달 회원들의 회비 약 220만원으로 1명의 활동비가 충당되고 장소 유지비가 해결되고 있는 것, 그리고 다양한 국비 수혜를 통해 프로그램을 진행하는 수준에 그치는 건, 지역 활동의 모범이 된다고 말하기도 궁색할뿐더러, 특정한 테마를 통해 지역의 커뮤니티성을 함양한다고 보기에 여전히 숨을 헐떡거리는 민망한 수준에 그치기 때문이다.

다만, 나락한알은 지역의 정체성이라는 특수한 가치와 민주적 가치와 인권적 가치 그리고 환경적 가치 등의 보편적 가치 사이의 생산적 긴장을 통해 새로운 가치를 만들고 기존의 가치를 발전시키려는 의도를 갖고 있기는 하다. 그 중, 문화적 가치 역시 그러한 긴장을 만들어내고자 한다. 독서문화, 예술감상, 영화상영, 기행, 공공미술 프로젝트, 출판 프로젝트, 다양한 콘서트(연극과 결합한 북콘서트 〈야단법석 문학마당〉, 의제콘서트) 등의 활동을 거쳤다. 덕분에 나락한알도 나락한알을 대표하는 노래를 가질 수 있었다. 시민이 추는 춤: 민나한씨 이야기라고 하는 곡이 있다. 이모든 일들을 해내면서 나락한알이 정한 모토는 "놀며 배우는 시민의 터"였다. 그러나 문제는 놀며 배우는 시민의 터를 만들기 위한 코디네이터들은 정작 못 놀고 못 배우며 일에 치여 허덕이는 상황이었다. 이런 상황에서『하마터면 열심히 살 뻔했다』는 책은 눈물겹다.

독립예술영화전용관을 설립하거나 건립하는 일은 어쩌면 바로 이렇게 열심히 사는 사람들에게 색다른 휴식을 제공할 수 있는 콘텐츠를 갖고 있다. 예전에 수영만 요트경기장 내부의 시네마테크가 있었다. 쉽게 접근할 수 있는 곳은 아니었지만, 시간 내서 접근하면 꽤 괜찮은 분위기를 연출하던 곳이었고, 실연의 아픔을 이기기 위해 잉마르 베리만 회고전을 하루에 7편을 내리 보다가 디스크가 재발했던 곳이기도 하다. 일상의 시간을 절단하고 새로운 시간과 공간으로 접어들게 만들었던 곳. 그래서 예전에 〈비아트〉라는 잡지 39호에서 시네마테크를「들뢰즈, 괴물의 철학:불온한 감각들의 힘」이라는 글로 재소환한 바 있다. 그리고 해운대구청에서 시네마테크를 신설되는 우3동 주민자치센터로 만들려고 한다는 구상을 발표했을 때에도 극장이 있는 주민자치센터로 만들고, 지역 친화적 영화 상영 프로그램과 콘텐츠를 제공할 문화코디네이터 한 사람을 고용하라고 말할 정도로 그 장소에 대한 애착이 있었다. 비단 나만 그랬던 것은 아닐 테다.

왜냐하면 장소place는 물리적 공간site에 그치는 것이 아니기 때문이다. 장소는 물질적인 것과 비물질적인 것이 서로 씨줄과 날줄로 얽혀 만들어내는 하나의 퀼트다. 독립예술영화전용관을 직조해내는 것은 그런 점에서 다양한 요소들의 협력과 협치를 통해 탄생하는 문화적 창조라 하겠다. 물론 독립예술영화전용관만 그런 것은 아닐 테다. 사상구 생활사박물관은 '생활사'라는 테마를 통해 특정한 지역을 중심으로 다양한 문화적 · 역사적 · 사회적 요소를 직조해내는 생산적인 문화공장의 역할을 하고 있는 듯하다.

이렇듯 특정한 장소에서 다양한 협력과 협치를 통해 공동체적 정체성을 생산하는 지역친화적 문화공간을 만들어 내는 것은 그 자체로 다양한 의미를 생산할 수 있다. 문화적 가능성과 역량의 장소. 그 중 하나가 독립예술영화전용관이라 하겠다. 여기서 프로그램 코디, 지역의 다양한 커뮤니티, (예비)감독들과 독립영화단체, 콘텐츠 제공자와 문화행정이 만나서 협치를 하는 공간과 시간의 터를 꾸리는 것은 새로운 문화적 가능성을 시추해보는 일종의 실험의 공간이다. 나는 정신없이 바쁘게 살던 그 일상의 결을 끊고(시간주권), 과감히 상영전의 포근한 암흑 속으로 깃들어 도사리던 그 순간을 아직도 잊을 수 없다.

부록 3

부산 중학생 300여 명의 목소리

■ 중학교 1

의제 1 . 행복보다 성적을 중시하지 말라.

이유와 근거 : 우리 광안중학교 학생들은 명문학교 학생이라는 명예 이외에는 한 뼘의 행복조차 가지지 못했습니다. 성적을 위해 싸우는 학생들에게는 컴퓨터와 샤프 말고는 아무 것도 주어지지 않았습니다. 성적이라는 전쟁, 시험이라는 전쟁터 속에서 수많은 학생들이 고통받아야 했습니다. 이제는 개혁이 필요한 때입니다.

의제 2. 깐깐한 교복규정을 없애자.(도무지 교복 문제는 해결이 되질 않는다.)

① 교복이 너무 딱 달라붙어서 불편하다. 자켓(자켓(마이))의 재질은 부직포 같고, 여학생에게는 허리선이 너무 부각된다.

② 하복의 경우 남학생은 바지가 너무 길고, 여학생의 경우에는 짧은 상의가 불편하다. 심지어 동복보다 작은 크기로 제작한다.

③ 동복의 경우 치마는 스타킹을 신어도 춥고, 여학생 바지의 경우에는 얇아서 춥다.

④ 외투의 경우에는 자켓(마이)는 불편하고 덥고 외투 하나만 착용하는 것도 금지되어 있어서 불편하다.

의제 3. 학생들에 대한 고정관념을 없애자.

① 반의 대표나 학교의 대표들의 성적이 잘 나와야 한다는 편견이 있다.

② 이성교제를 하면 성적이 나빠질 거라는 편견이 있다.

③ 남녀차별이 많다.

④ 성적이 좋게 나오면 항상 좋게 나올 거라는 편견이 있다.

우리의 주장 : 선생님이 계시지 않은 장소에서 할 수 있는 학급회의가 있어야 한다. 학생회로 의견을 직접 내거나 다양한 캠페인을 벌이자.

의제 4. 한국 교육을 바꾸자.

① 창의적 인재 양성에 걸맞지 않은 구시대적 주입식 교육이 문제다.(등수는 실력이 아니며, 창의력을 키우는 것도 아니며, 심지어 여가시간을 빼앗는다.)

② 정치에 휘둘려 입시제도는 혼란을 거듭한다.(교육 선택의 자유를 박탈하고, 교육이 백년지대계라는데 정작 실천은 불가능한 상황이다. 사교육을 조장하고 불필요한 입시컨설팅이 많다.)

③ 경제력에 좌우되는 경쟁력도 문제다.(서울에 집중되는 경쟁력도 문제다. 특히 강남 3구, SKY 등 명문대도 그렇고, 생활비도 서울에서 확보하고 사용하기 좋다. 사립고, 국제고, 국제학교, 자사고와 같은 명문학교의 등록금 등의 비용이나 조기 교육이나 유학의 분위기도 서울쪽에 집중되어 있고 정보도 많다.)

우리의 주장 : 우리는 억울해도 성공하기 위해 버티겠다. 존버해서(존나게 버텨서) 치킨을 나눠줄 것이다.

■ 중학교 2

의제 1. 선생님들도 규칙을 정해서 규칙을 지켜야 한다.

이유와 근거 ① 미술선생님이 흡연을 많이 하시는데, 우리는 덕분에 간접 흡연을 해야 한다. ② 체육선생님이 지나치게 서슴없이 때리신다. 아프고 기분이 나쁘다. ③ 사회선생님이 숙제와 감점을 지나치게 많이 주신다. 중학생의 여가시간과 스트레스가 많이 생긴다.

※ 최근 시간빈곤과 관련된 이야기들이 많이 등장하고 있는데, 한국에서는 중학

생도 시간빈곤에 빠진 사람들이 많은 것으로 보고되고 있다.

의제 2. 학생도 권리가 있다. 권리를 인정해 달라.

① 선생님이나 어른들이 세대 차이로 인하여 청소년들의 문화를 이해하지 못한다.

② 선생님의 권력을 이용하여 자신의 가치관을 강요한다.

EX) 학교에서 종교행사를 강요한다.

③ 문제가 있는 선생님을 학교가 감싸려고 한다. ex) 선생님이 학생을 폭행해서 문제가 된 경우 학교가 선생님을 감싸려고 한다.

우리의 주장 : 어른이라고 무조건 자신의 생각을 내세울 것이 아니라, 학생들도 어른들과 동등한 권리가 있다는 것을 인정해 달라.

의제 3. 학원의 불만이다.

① 과목의 난이도가 급상승한다.(초등학교에서 중학교로 갈 때 과목 난이도가 올라가고 과목이 많아진다. 방정식, 함수 등 새로운 개념이 많이 나온다.)

② 학교의 교육방식의 문제점도 있다.(학교 수업을 들으려해도 선생님이 자세하게 가르쳐주지 않거나, 선생님 본인만의 수업방식을 고집한다. 음악선생님이나 사회선생님은 아이들한테 빽빽이를 시켜 학생들을 힘들게 하고 잘 가르쳐 주지 않는다.)

③ 학원의 과도한 교육열도 문제다.(학원의 과도한 교육열이 늦은 귀가시간으로 이어져 학생들의 여가시간을 방해한다. 당리의 모 학원은 11시가 지나도 학원 수업을 강행한다.)

우리의 주장 : ① 학원의 운영시간을 더 확실하게 단속하자. ② 교사와 학생이 함께 이끌어가는 수업을 하자. ③ 학생이 바라고 또 즐길 수 있는 교육을 하자.

■ 중학교 3

의제 1. 우리는 학원(사교육)이 불만이다.

① 학원은 왜 셧다운 시간을 지키지 않는가.(PC방은 청소년이 10시 이후에 출입을 불가능하게 했지만, 학원은 셧다운 법이 있는데도, 10시 이후에도 공부를 시킨다. 이것은 불법이다. 그런데 정작 단속을 하지 않는다.)

② 자유시간이나 여가시간이 너무 없다.(셧다운을 지키지 않는 것을 넘어서 시간이 없어

도 너무 없다. 시험이 끝나면 다음 학년 선행을 하느라 바쁘다.)

③ 주입식 교육 말고는 배울 수 있는 게 없다.(고난이도 문제를 풀다보면 어떻게 푸는 것인지 원리는 설명 안 해주고 그냥 문제만 많이 풀게 한다. 이런 상황에서 우리가 배우는 게 진짜 공부인지 모르겠다.)

우리의 주장 : 보호자에게 도움을 요청하여 과도한 학습이나 예습보다는 자신의 꿈을 생각해볼 수 있는 시간을 가지도록 하자.

의제 2. 공부가 싫다.

① 학원에서 선행을 하면서 원리 위주가 아닌 강압적인 결론 도출만을 요구한다.

② 갈수록 높아지는 교육열로 스트레스가 높아지고, 잘하는 친구와의 비교로 자신감은 떨어진다.

③ 높은 사교육비에도 불구하고 성과가 만족스럽지 못하고, 덕분에 부모님으로부터 잔소리를 듣게 된다.

우리의 주장

구재성 : 나는 선행을 줄이기 위해 힘쓰고 학원에서 공부를 안 해도 될 만큼의 공부양과 내용을 조절해줬으면 좋겠다.

이석진 : 나는 공교육의 질을 높이기 위해 노력하고, 수강신청 등의 방법으로 자기가 하고 싶은 공부를 하게 하고 싶다.

이지성 : 나는 과도한 선행학습을 예방할 수 있는 방법을 생각하고 정부기관에 건의하겠다.

김동근 : 비교를 줄이고자 사교육의 의존이 아닌 방식으로 좋은 결과를 도출하겠다.

고채운 : 평소에 과한 공부량을 줄이고 그 시간에 나의 취미생활을 하여 나의 꿈에 한발자국 더 나아갈 수 있도록 노력하겠다.

최용훈 : 선행의 빈도를 줄이려고 노력하며 공부에 대한 자신감을 높이겠다.

의제 3. 스트레스의 원인인 학원문제를 해결하자.

① 학원 숙제가 너무 많다. 그래서 여가를 즐길 수 있는 시간이 없다.

② 학원이 늦게까지 운영을 한다. 수면시간의 부족과 수업에 집중을 할 수가 없다.

③ 학원이 개인의 스케줄을 고려하지 않는다. 짜놓은 약속을 고려하지 않고 학원스케줄대로 운영한다.

우리의 주장 : 자신의 의견을 학원에게 말할 것이다. 학원을 줄여야 한다. 학원법을 바꿔야 한다. 학원비를 말도 안 되게 높여 학원을 못가게 한다.

■ 중학교 4

의제 1. 학교의 교복제도가 문제다.

① 교복이 매우 불편하다.(신축성도 없고, 통기성도 없다.)

② 가격에 비해 품질이 좋지 않다.(재질이나 마감 그리고 디자인도 별로다.)

③ 추운 겨울에 불편한데, 무조건 (자켓(마이)) 위에 입어야 한다.

우리의 주장 : 우리는 교복과 함께 학교에 생활복을 입자고 주장한다.

의제 2. 과도한 교육열로 인하여 스트레스와 미래 직업에 대한 불만이 증가한다.

① 과도한 사교육 때문에 학구열이 오히려 상실된다.(선행학습으로 인해 학교 수업에 집중하지 못해 공교육이 약화되고 학원에 의존하게 된다.)

② 빈부격차에 따른 학원 분리 현상이 문제다.(돈 많은 사람은 비싸고 좋은 학원에 다니게 된다.)

③ 특목고, 과학고 준비로 인해 학생 간의 화합보다는 경쟁과 갈등이 증가한다.

④ 학원공부로 인해 쉬는 시간이나 수면시간이 부족하니 스트레스도 증가한다.(중학교 야간자율학습 시간도 생기고, 공부 동기를 계속 강제로 부여하고, 심지어 자기주도 학습법도 강의하고, 원하는 과목을 선택하여 공부하는 학점제도 등장하고, 특목고나 과학고의 경쟁율이 증가하면서 수면시간도 줄게 되었다.)

⑤ 어차피 과도한 교육열에도 공부안할 사람은 안한다. 덕분에 학원의존도도 높아지고 부모님 걱정도 높아지지 않는가.

우리의 주장 : 학원법을 제정하거나 개정하여 학원을 끊고, 자신만의 공부시간을 늘리자. 학원 운영 최대 시간을 강화하여 제정하고 수시로 검사하자.

■ 중학교 5

의제 1. 여성의 인권을 침해하지 말라.

일상에서 자주 접하는 차별의 말들, 이 말들은 모두 차별이다. 레이디 퍼스트, 여자애가 왜 다리를 벌리고 있어!, 여자애들 반에서 왜 냄새가 나?, 생리통이랑 달리기가 뭔 상관이야?, 치사하게 여자랑 붙냐?, 교복 검사하는데 왜 교복바지를 입어?, 보일 남자애도 없는데 왜 화장해?, 여자애 글씨가 왜이래?, 여자애 말이 왜 이렇게 거칠어?, 여자애가 왜 그렇게 산만하니, 여자애 힘이 왜 그렇게 쎄?, 여자애 목소리가 왜 그렇게 거칠어?, 여자애가 안 꾸며서 어떻게 시집갈래?

우리의 주장 : ① 여성들은 남성의 눈요깃거리가 아니다. ② 성장하는 여자 아이들에게 여성에 대한 잘못된 고정관념을 심어주어 꿈을 방해하지 마라. ③ 여성과 남성을 구분하여 차별하지 말라. 동등한 기회를 달라. ④ 학생회에서 이 문제에 대해 토론하고 문제 교사를 교육시키자.

의제 2. 교복 규제를 하지 말라.

이유와 근거 ① 교복 바지를 따로 구매해서 불편하고 비싸다. 여기에 여자가 치마를 입어야 한다는 고정관념이 작동한다. ② 덥거나 추울 때 체육복 등교 · 하교를 금한다. 겨울이나 여름에 치마를 입게 하여 다리가 불편하다. ③ 자켓(마이)를 입고 외투를 착용해야 하는 것도 불편하다. 심지어 자켓(마이)가 뻣뻣하여 활동하기에 불편하다. ④ 블라우스가 비치는 경우가 많다. 그래서 여름에 덥게 속옷을 더 입어야 한다. 자켓(마이)도 몸매를 너무 드러나게 해서 여자 학생을 성적 대상으로 보게끔 하는 거 같다. ⑤ 바람이 불 때 체육복을 입지 않으면 치마가 날리는 경우도 많다.

우리의 주장 : 교복 디자인 공모전이나 캠페인을 열자. 그리고 학급회의를 열어 안건을 받아보자.

■ 중학교 6

의제. 교복 문제를 해결하자.

이유와 근거 ① 교복에 대한 규정이 엄격하다.(자켓(마이) 위에 외투를 착용해야 하는 규정, 치마 길이 제한, 바지 통 제한 등) ② 교복 입고 등 하교하는 것도 문제다.(여름에는 덥고 찝찝하다. 비 오는 날에는 옷이 젖는다. 겨울에 치마를 입으면 춥다.)

③ 교복의 의무화도 문제다.(교복을 입는 것 자체가 문제다.)

실천 ① 학생회에서 꾸준히 학교에 건의를 한다. ② 학생들이 새로 만든 규칙을 잘 지킨다. ③ 친구들과 몰래 합의해서 단체로 교복을 입지 않는다. ④ 학생들이 원하는 교복을 디자인하고 투표할 수 있도록 각 반장들이 진행한다. ⑤ 학생들이 아침 등교시간에 피켓을 만들어서 건의사항을 적어 캠페인을 한다. ⑥ 학생들이 지킬 수 있는 규칙을 새로 선정해 잘 지킨다.

■ 중학교 7

의제. 공부 안 하고 싶다.

이유와 근거 ① 하기 싫은데 해야 한다. ② 스트레스를 많이 받는다. ③ 열심히 해도 성적이 안 나오는데 왜 해야 하나.

우리의 주장 : 학생들의 재능을 살릴 수 있게 새로운 수업제도를 도입하자.

실천 ① 자기 수준에 맞게 자율 공부량을 조절한다. ② SNS에 자신의 소신을 발언한다. ③ 블로그에 자신의 생각이나 의견에 대해 글을 쓴다. ④ 교육청에 건의한다.(건의게시판 등 교육청에서 볼 수 있는 곳에 공부제도를 바꿀 수 있는 건의하는 글을 올린다.) ⑤ 정책 관련 기구와 손을 잡고 의견 반영을 시도한다. ⑥ 학생회에 안건으로 의견을 내서 학교에 건의한다.

■ 중학교 8

의제. 교복을 없애자

이유와 근거 ① 교복이 예쁘지 않다. ② 활동하기에 불편하다. ③ 쓸데없이 비싸다.

실천 ① 학생회에 적극적으로 건의한다. ② 1인 시위를 하자. ③ 학교 홈페이지에 항의글을 올리자. ④ 서명운동과 집단시위를 하자. ⑤ 캠페인을 실시하자.

■ 중학교 9

의제. 복장에 대한 규정이 부당하다.

이유와 근거 ① 여름 바지가 길고, 동복은 너무 얇다. ② 하복이 너무 작고 치마가 너무 길다. ③ 학생들이 좋아하는 복장을 만들다. ④ 더워도 옷을 벗지 못하고 추워도 옷을 더 입지 못한다. ⑤ 비싸다.

실천 ① 학교에 건의를 한다.(학생회 때나 교장선생님께 직접 건의한다.) ② 각종 웹사이트에 게시물을 작성한다. ③ 여론 형성의 선두주자가 된다. ④ 집단으로 건의한다.(교육청, 교무실을 향해) ⑤ 해결방안 탐색을 위한 회의를 한다. ⑥ 집단 서명운동을 한다.

■ 중학교 10

의제. 벌점제도를 없애자.

이유와 근거 ① 벌점을 받으면 자유롭지 않다. ② 눈치가 보인다.

실천 ① 학교 홈페이지에 글을 올린다. ② 자신의 의견을 종이에 적어 교장선생님께 드린다. ③ 건의함을 만들어 의견을 모은다. ④ 학생들이 회의해서 건의한다. ⑤ 학교 앞에서 팻말을 들고 운동한다. ⑥ 단체로 방송사에 기사를 써달라고 요청한다.

■ 중학교 11

의제. 복장규제를 없애자.

이유와 근거 ① 쉬는 시간에 체육복을 갈아입기에는 시간이 부족하다. ② 교복의 재질과 사이즈가 체육복에 비해 떨어진다.(편리성이 없다.) ③ 꼭 교복을 입을 필요도 없다.(교복을 착용해야만 하는 이유는 없기 때문에 학생들의 자유에 맡기자.) ④ 교복은 체육복보다 비용이 커서 부담된다.

실천 ① 자신의 의견을 담은 글을 적어 학급게시판에 붙여 놓는다. ② 지금 있는 학교 교칙을 잘 지킨 뒤, 의견을 건의한다. ③ 나의 의견을 다른 친구들에게 공유한다. ④ 웹사이트를 이용하여 먼저 교복을 자율화하고 있는 학교에게 장점 및 조언을 듣는다. ⑤ 학교친구들의 의견을 모아 교육청에 건의해본다. ⑥ 의견이 받아들여질 수 있도록 서명운동을 한다. ⑦ 학생 대의원회에서 교장선생님과 의견을 나눌 수 있는 시간을 가진다. ⑧ 자율동아리를 만들어 캠페인 활동을 한다.

우리의 주장 : 체육복을 등 · 하교시 그리고 체육수업을 제외한 다른 시간에도 착용하도록 허락하자.

■ 중학교 12

의제. 중학생들에 대한 사회적 편견을 버리자.

이유와 근거 ① 중학생들은 모두 반항적일 거라는 편견 때문에 각자의 개성이 억압된다. ② 중학생들을 너무 과소평가하는 것이다. ③ 중학생에 대한 과도한 규제가 발생한다.

실천 ① SNS를 이용하여 호소글을 올린다. ② UCC를 제작하여 피해사례를 영상화한다. ③ 책을 발매하여 편견을 갖지 말라는 교훈을 준다. ④ 현수막을 만들거나 팻말을 만들어 캠페인을 한다. ⑤ 공익광고를 제작한다. ⑥ 서명운동을 한다.

■ 중학교 13

의제. 학생들에 대한 고정관념을 버리자.

이유와 근거 ① 성적, 화장, 연애, 두발, 교복, 게임, 사춘기, 관습, 진로 등의 편견이 너무 많다. ② 이런 고정관념으로 스트레스가 증가한다. ③ 청소년들에 대한 제재의 증가로, 청소년들이 원하는 것을 하지 못한다.

실천 ① 고정관념을 가진 주변 어른들에게 우리들의 진솔한 입장을 표명한다. ② 나부터 고정관념을 깬다. ③ SNS로 자신의 의견을 표출하고 공유한다. ④ 학생들끼리 자발적으로 고정관념을 깨자는 캠페인 운동을 벌인다.(기사를 쓰고 게시판에 글을 올린다.) ⑤ 공익광고를 제작한다.(공익광고협의회에 건의한다.) ⑥ 서명운동을 해서 교육청에 건의한다.(고정관념을 깨는 프로그램 개설을 요구한다.)

■ 중학교 14

의제. 학생다움을 강요하지 말라

이유와 근거 ① 자유의 제한을 금지하라.(치마길이, 머리스타일, 귀걸이, 화장) ② 청소년에 대한 고정관념을 없애라. ③ 사람들의 시선과 잔소리를 없애라. ④ 이성교제에 대해서도 간섭하지 말라. ⑤ 공부를 강요하지 말라.

실천 ① SNS에 호소글을 올리자. ② 규제 없이도 잘 할 수 있는 모습을 보여주자. ③ 학교 건의함을 사용하자. ④ 학교 캠페인을 실시한다.(팻말, 포스터, 현수막 사용 등) ⑤ 학생회에서 토의 후 결과를 교장 선생님께 전달한다. ⑥ 공익광고를 만들어본다.(어른들과 학생의 시선 차이를 보여주는 광고를 제작한다.)

■ 중학교 15

의제. 학원이 불만이다.

이유와 근거 ① 많은 시간 동안 많은 것을 배우지만 확실히 알지 못한다. ② 잘못된 교육방식의 수업을 오랫동안 배우면 머릿 속에 들어오지 않는다. ③ 너무 빠른 선행학습으로 따라가기 어렵다.

실천 ① 하루 동안 할 수 있는 할당량을 정한다. ② 짧은 시간 내에 집중해서 공부를 줄인다. ③ 자기주도 학습을 한다. ④ 수업 중에 딴짓을 하지 않는다. ⑤ 함께 피켓을 제작한다. ⑥ 대의원회 등을 활용하여 선생님을 설득시킨다.

■ 중학교 16

의제. 학교 규정이 없어지면 좋겠다.(등교시간, 체육복, 등 • 하교, 두발제한, 사복여부, 교복, 화장품, 장신구, 휴대폰제출, 학교에서 생활시간, 상벌점제, 엘리베이터 사용 등)

이유와 근거 ① 학생들이 자유를 누리지 못한다. ② 선생님과 학생들의 자유가 평등하지 않다.

우리의 주장 : 학교규정을 바꾸자.

실천 ① 학교 게시판에 의견을 밝힌다. ② 의견을 정확히 내세운다. ③ 지나친 규제를 금한다는 포스터를 제작하고, 벽이나 교실 등 공적 장소에 붙인다. ④ 학생들의 서명운동을 받는다. ⑤ 학생회에서 의견을 수렴해서 규정을 고친다. ⑥ 교육청에 민원을 넣는다.

■ 중학교 17

의제. 상벌점 제도를 약화시키자.

이유와 근거 ① 명찰, 체육복 등교와 같은 사소한 문제로 벌점을 부여하는 것은 너무 극단적이다. ② 벌점을 주는 것은 빈번하지만, 상점을 주는 경우는 희박하다.

실천 ① 학생회에 건의한다. ② 교육청 신문고를 사용한다. ③ SNS에 호소글을 올린다.(페이스북, 인스타, 트위터 등) ④ 학생회 자치회를 운영한다. ⑤ 문제에 대한 서명운동을 한다. ⑥ 등굣길에 캠페인을 한다.

■ 중학교 18

의제. 학교 시험이 불만이다.

이유와 근거 ① 부모님의 잔소리의 원인이다. ② 노는 시간과 여가 시간이 줄어든다. ③ 평소보다 더 많은 시간을 공부에 투자해야 한다. ④ 수면시간이 줄어든다.

우리의 주장 : 성적 반영을 수행평가로 해도 된다. 배웠던 학습을 복습한다. 시험을 쳐도 성적에 반영하지 않는다. 만약 꼭 해야 한다면 학기당 2번의 시험이 아닌 한 번의 시험을 실시한다. 매 시간 배운 내용을 쪽지 시험으로 치고 이것을 성적에 반영한다. 따라서 자유학기제를 늘리자.

실천 ① 교장 선생님께 편지를 쓴다. ② 교장 선생님과 진지한 1 대 1 면담을 한다. ③ 1인 시위를 한다. ④ 교내에서 자유학기제를 늘리자는 서명운동을 한다. ⑤ 교육청에 자유학기제를 늘리자는 건의를 한다. ⑥ 학생회에서 자유학기제를 늘리자는 안건을 제시한다.

■ 중학교 19

의제. 우리는 자유롭지 못한 교칙에 반대한다.

이유와 근거 ① 개인의 자유를 침해한다. ② 각자의 개성을 잃게 한다.
③ 강압적이다.

실천 ① 규제 없이도 적정선을 지키며 실천하는 모습을 보여준다. ② 교육청이나 학교

게시판에 글을 올린다. ③ 학생회 활동에 적극 참여한다. ④ 학교에 건의함을 설치하여 의견을 받는다. ⑤ 학생들의 자율을 보장하는 캠페인을 벌인다. ⑥ 선생님들과 학생들이 소통할 수 있는 시간을 만든다.

■ 중학교 20

의제. 지나친 교육량이 불만이다.

이유와 근거 ① 많은 수업량에 비해 쉬는 시간이 적다. ② 등교시간이 너무 빠르다. ③ 서로 경쟁하는 구조 속에 사교육이 강하게 요구된다. ④ 충분한 휴식을 해야 다음 수업을 할 수 있다.

우리의 주장 : 교육정책을 대물림하지 않는다 , 학생자치회에서 친구들 의견을 모아 규정변경시간을 가진다. 사교육이 아닌 자기 주도적 학습을 한다. 과도한 교육량을 방지하기 위한 캠페인과 서명운동을 한다. 학생들의 교육량에 대한 고충을 공익광고로 만든다. 자기 주도적 학습을 하기 위한 자치 동아리를 만든다.

■ 중학교 21

의제. 학생의 자유로움을 방해하는 대한민국 학교 규정을 바꾸자.

이유와 근거 ① 학생의 외형(교복, 화장, 두발)은 공부에 방해되지 않는다. ② 학생의 소지품을 중시 여기자. ③ 대한민국의 교육방식을 바꾸자.

실천 ① 교장선생님께 건의한다. ② 건의함에 건의한다. ③ 교육청에 건의한다. ④ 친구들에게 불합리한 상황을 홍보한다. ⑤ 캠페인을 제작한다. ⑥ 학생회를 연다.(이 의견을 정리하여 학생과 교장선생님과 면담을 갖는다.) ⑦ 교장선생님과 한 달에 한 번 학생들과의 면담을 진지하게 가진다.

■ 중학교 22

의제. 지나친 학생 규제를 철폐하자.

이유와 근거 ① 상 · 벌점제는 일상 생활 자체를 억압한다. ② 복장 규제로 교복 위에 외투를 입으면 불편한다. ③ 공부 말고도 할 것은 많은데 공부만 하게 된다. ④ 학생다운 스타일을 획일화시켜 강요한다.

우리의 주장 ① 상 · 벌점제를 폐지하라. ② 자켓 위에 외투를 허용하라. ③ 취미생활을 권장하는 교육을 실시하자.

실천 ① 학생회 활동에 열심히 참여한다. ② 교장선생님과 1대1로 면담한다. ③ 게시판을 이용해서 교육청에 건의한다. ④ 캠페인과 서명운동을 벌인다. ⑤ 관련 주제로 토론을 해본다. ⑥ 시위를 한다.

■ 중학교 23

의제. 학교 교칙이 문제다.

이유와 근거 ① 성적을 우선시해서 학업스트레스가 불만이다. ② 고등학교 진학할 때 성적 기준이 걸림돌이다. ③ 두발복장 규정이 문제다.(학교 내에서 실내화만 신는 것도 문제다. 투블럭이나 펌도 할 수 없다. 치마길이도 너무 길고 바지통이 너무 넓은 경우도 있다.) ④ 상 · 벌점제도 문제다.(학생차별의 원인이다.)

실천 ① 교육청 자유게시판 등에 건의한다. ② 학교 교장선생님께 직접 말한다. ③ 규제 없이도 주장성을 지키며 실천하는 모습을 보여준다. ④ 학생 자치위원회 등 참가해서 건의한다. ⑤ 학생 자율보장 캠페인을 실시한다. ⑥ 서명운동을 한다.

■ 중학교 24

의제. 수행평가와 조별과제가 불만이다.

이유와 근거 ① 열심히 하려는 학생만 참여하고, 그러지 않은 학생들이 있음에도 불구하고 모두가 같은 평가를 받는다. ② 모둠이 어떻게 짜이는지가 평가의 결과를 결정짓는데, 그 짜는 과정이 무작위이다. ③ 동료 평가시에 그 사람과의 친밀도가 중요한 기준이 되기도 한다.

우리의 주장 ① 참여도에 따라 평가를 객관적으로 한다. ② 모둠원 전체가 같은 평가를 받지 않고 개별적으로 평가한다. ③ 꼭 필요한 경우에만 조별과제를 한다.

실천 ① 적극적인 태도로 임한다. ② 동료평가 시에 양심적으로, 객관적으로 한다. ③

학교홈페이지에 사례와 함게 조별과제가 부당하다는 것을 올린다. ④ 학급회의를 통해 조별과제의 문제점과 불필요성을 건의한다. ⑤ 등교시간에 교문에서 팻말을 들고 있는다. ⑥ 조별과제를 하지 말자는 서명운동을 한다.

■ 중학교 25

의제. 우리는 공부만 하고 시험치는 것이 불만이다.

이유와 근거 ① 시험공부가 힘들어서 머리가 아프다. ② 밤 낮 없이 공부하는 것이 힘들다. ③ 다른 활동을 통해 자신의 적성을 찾을 수 있다. ④ 토일 휴일에도 공부를 하게 되어 여가 시간을 가지기 어렵다.

우리의 주장 : 시험을 줄이자. 다른 활동을 늘이자.

실천 ① 학원을 적게 다닌다.(다니는 학원의 수를 줄여 공부량 감소, 자유학기제에 적성을 찾아본다.) ② 교육청 자유게시판에 건의를 한다. ③ 자기주도 학습을 하여 어른들로부터 오는 압박을 줄인다. ④ 학생회에 건의하여 문제를 해결할 방안을 찾는다. ⑤ 서명운동을 하여 교육청에 건의한다. ⑥ 선생님들과 같이 좋은 방안을 찾는 회의를 한다.

■ 중학교 26

의제. 학원과 학교에서 받는 학업스트레스 없애자.

이유와 근거 ① 선생님들이 성적에 따라 은근히 차별한다. ② 학생에게 무조건 공부만 강요한다. ③ 지나친 사교육과 선행으로 인한 힘든 경쟁이 발생한다.(경제적으로 힘든 학생은 수업을 따라가기 힘들 수도 있다.)

우리의 주장 ① 차별금지법을 제정하고 선생님들에 대한 불만을 토로할 수 있는 우편함을 설치한다. ② 학생들의 적성탐방 기회를 늘리고 기본적인 학업활동 외에 동아리활동이나 특별활동시간을 증대시킨다. ③ 학교나 학원에서 선행학습 금지 법률을 강화한다.

실천 ① 자신보다 성적이 낮은 친구를 깔보지 말고 그들에 대한 편견을 버린다. ② 학생자치회에서 선생님과의 회의를 통해 안건을 고민한다. ③ 학원 공부보다는 자기

주도적 학습을 중점적으로 학습한다. ④ 학생들의 선행학습으로 인한 부담을 덜어 주기 위해서 선행학습 금지법을 강화하도록 학생 여러 명이 함께 국민청원을 넣는다. ⑤ 학생들이 공부뿐만 아니라 다른 적성을 발견하고 그것을 개발할 수 있도록 동아리활동과 적성활동의 시수를 늘리도록 학생회 주도로 학교에 건의한다. ⑥ 선생님들이 성적을 가지고 차별하는 것을 막기 위해서 선생님들에 대한 불만을 토로할 수 있는 우편함을 설치한다.

■ 중학교 27

의제. 학생의 두발, 교복에 제한을 두지 말자.

이유와 근거 ① 하복이 긴바지여서 덥고, 치마가 너무 길어 답답하다. ② 학생 개인의 자유를 제한하는 것은 인권침해이다. ③ 여름에 투블럭을 안하면 덥다.

실천 ① 교육청에 건의를 한다.(홈페이지 게시판에 올린다.) ② 친구들과 의견을 나누며 문제점을 알린다. ③ 선생님께 학교 문제점을 고쳐달라고 이야기한다. ④ 학교 학생회에서 적극적으로 의견을 제시한다. ⑤ 학교에서 캠페인을 한다. ⑥ 서명 운동을 한다.

■ 중학교 28

의제. 청소년 삶의 대부분을 결정하는 시험이 불만이다.

이유와 근거 ① 공부 스트레스가 많다. ② 시험공부에만 매진한다.

우리의 주장 ① 시험횟수를 줄이고 수행평가의 반영도를 높이자. ② 결과보다는 과정을 보자. ③ 일반적인 시험 과목보다 취미나 진로활동에 비중을 높인다.

실천 ① 학생회의에서 자기 의견을 표출한다. ② 교장선생님과 1대1 면담한다.(진실, 솔직) ③ 자신과 뜻이 비슷한 사람을 모은다. ④ 학교나 교육청에 건의한다.(건의게시판 활용) ⑤ 교내 서명운동을 실시한다. ⑥ 캠페인을 벌여 학생과 선생님들에게 홍보한다.

2019년 동구학생의회 활동 보고

동구학생의회 의장 **구 예 강**
동구학생의회 부의장 **이 상 언**

동구학생의회 발대식 모습(2019. 5. 20.)

동구학생의회 2 (2019. 6. 1.) : 동구의 모습 알기 / 의장단 선출 / 분과 구성

동구학생의회 3 (2019. 7. 6.) : 분과 주제 추출, 놀이터 디자인 제안

동구학생의회 4 (2019. 7. 7.) : 학생들이 디자인할 좌천어린이공원 방문 놀이터 구상1 좌천초 방문

동구학생의회 5 (2019. 7. 13.) : 놀이터 디자인을 위한 논의와 토론

동구학생의회 6 (2019. 7. 16.) : 동구 의원들과의 간담회

동구학생의회 7 (2019. 7. 27.) : 좌천 어린이공원 놀이터 디자인 구체화 워크샵

동구학생의회 8 (2019. 8. 31.) : 좌천 어린이공원 놀이터 시안 검토, 좌천초 활용 방안에 대한 설문조사지 작성

동구학생의회 9 (2019. 9. 21.) : 정책 제안 숙의 과정 1

▲ 동구학생의회 10 (2019. 10. 3.) : 정책 제안 숙의 과정 2

부산에 두 번째 '참여형 놀이터' 생긴다

장병진 기자 joyful@busan.com

입력 : 2019-07-18 19:05:24 수정 : 2019-07-18 19:05:52 게재 : 2019-07-18 19:06:16 (10면)

동구학생의회 학생들이 좌천어린이공원에 참여형 놀이터를 디자인하기 위해 현장을 둘러보고 있다. 초록우산어린이재단 제공

부산일보 보도(2019. 7. 18.)

부산교육뉴스(2019. 9. 26.)

정책 제안서 1
청결하고 안전한 동구 만들기

■ 제안 배경

- 학교 주변이나 길거리에 담배꽁초나 휴지가 많이 떨어져 있어서 불결하다
- 동구는 다수의 노숙인들이 길거리 급식을 하는 경우도 자주 보는데, 노숙인의 자활을 지원하면서 노숙인이 지역에 기여할 수 있는 기회를 줄 수 있으면 좋겠다.

■ 주요 내용

- 노숙인이 거리를 깨끗하게 하면 그외 노력에 맞는 쿠폰을 제공하여 생활에 필요한 물품이나 의약품을 살 수 있도록 또는 의료-복지 서비스를 받을 수 있도록 지원하자.
- 살 수 있는 물품을 생필품과 그 외 몇 가지 항목으로 설정하여, 생활의 필요를 돕는다.
- 아니면 지역 기여 통장을 만들어 일정한 금액을 넘어가면 노숙인이 필요한 물건을 요구하고 구청에서 이를 지급하는 방향으로 한다.
- 노숙인들에게만 지원한다면, 노숙인들이 노숙인으로 낙인찍힐까 두려워 서비스에 나서지 않을 수도 있다.
- 어린이 청소년 의제이니 어린이와 청소년이 지역에 기여하는 것도 좋겠다. 이 일로 문구류나 책을 구입하고 용돈을 아낄 수 있어 좋을 것 같다.

• 다 같이 만들어가는 동구라면 지원자에 한하여 모두 신청할 수 있도록 하는 것도 좋겠다.

■ 최종 제안

• 동구에 사는 모든 사람들 중 지원자에 한하여, 시간과 계절별 장소를 나누어 구역을 청결하게 한다. 이렇게 지역에 기여한 사람들에게 쿠폰(동구 e바구 페이를 지급하거나, 기여 통장) 등을 만들어, 일정 금액에 도달하면 필요한 물품을 살 수 있거나 제공한다.

• 노숙인을 우선으로 하되, 노숙인만 하지 않도록 노숙인과 취약계층 그리고 지역민들이 공동으로 지역에 기여할 수 있는 지원 시스템을 만든다.(청소도 좋지만 자원 재활용과 관련된 활동도 좋다.)

• 이상의 일이 청소에서 (지역 순찰과 같은) 안전 의제로 이어질 수 있도록 다음 조치를 취할 수 있는 플랫폼이 되어도 좋다.

■ **제안자** : 청결 안전 분과

소속/이름 : 초량초등학교, 이하은/ 성남초등학교, 박수아
선화여자중학교, 김가은/ 부산서중학교, 이상언
경남여자중학교, 홍수민 / 수정초등학교, 장동현
수정초등학교, 조문기

■ **지도교사** : 김동규(민주시민교육원 나락한알 원장)

정책 제안서 2
배움의 공간, 좌천초를 꿈꾸다

■ 제안 배경

- 동구는 주민과 학생 수가 계속 줄어들고 있는 구로서 좌천초를 활용해서 지역을 활성화 하는데 도움이 될 것임
- 학생들이 문화예술활동을 배우고 체험하고 싶으나 할 수 있는 공간이 매우 부족해서 좌천초 폐교를 활용해 문화예술활동을 자유롭게 배우고 체험할 수 있는 공간이 필요함

■ 주요 내용

- 동구 관내 1300여명의 학생을 대상으로 설문조사를 한 결과
- 좌천초 활용 방안에 대한 의견을 수렴한 결과 다음과 같은 제안을 하고자 한다.

1. 청소년들이 방과 후 활동 공간으로 가장 필요하다고 한 것은?
   학생카페 51.8%, 코인노래방 38.4%, 독서실을 겸비한 도서관 27.8%,
   예술프로그램 27.5%
2. 다양한 체험 활동을 할 수 있는 공간으로 이용할 때 필요한 프로그램은?
   VR, 영상미디어 제작과정, 과학실험 및 코딩교실, 재능기부봉사
3. 지역주민과 함께 쓰는 공간으로 필요한 시설은?
   작은 영화관 54.7%, 실내외 스포츠 공간 48.5%, 테마도서관 22.8%,
   마을공동식당 11.7
4. 동구를 홍보할 수 있는 좌천초 활용 프로그램은?
   프리마켓 36.4%, 1박2일캠프 35.7% , 마을축제 34.8%, 스포츠대회 30.9%,
   장애인 · 노인과 함께하는 공감체험 11.2%
5. 좌천초 활용 운영주체는?
   동구청 53.7%, 부산시교육청 43.5%,

동구학생자치연합, 동구주민운영위원회 12.9%

■ **최종 제안**

• 이상 동구학생의 의견을 수렴해 좌천초가 '배움의 공간을 비롯해 쉼과 놂과 소통의 공간'으로 활용되어 동구의 발전에 도움이 되면 좋겠습니다.

■ **제안자** : 홍보 분과

소속/이름 : 수성초등학교, 이서준/ 수정초등학교, 최지원/ 수정초등학교, 김연수
금성중학교, 조민철/ 부산동여자중학교, 황하은
선화여자중학교, 석가연

■ **지도교사** : 이화숙(가람중학교 교사)

정책 제안서 3
좌천초, 쉼과 놀이의 공간으로 재탄생하다

■ **제안 배경**

- 동구의 인구 변화와 학생 수의 감소로 좌천초등학교가 폐교되었다. 폐교를 그냥 두기보다는 활용하기 위한 지역의 노력이 필요하다.
- 폐교를 활용하는 것은 건물을 철거해서 새 건물을 짓기에는 비용이 많이 들기 때문에 비용을 절약할 뿐만 아니라, 원래 공간을 보존하려는 의미도 있다.
- 이에 따라서 폐교 활용은 민관이 관심을 가져서 활용한다면, 동구의 학생, 장년, 노인 등등 모든 주민들이 여가 시간에 놀 수 있고 운동하며 건강하게 놀 수 있는 장소, 즉 쉼의 공간을 마련하는 것이다.
- 폐교를 활용한다면, 동구 사람을 위한 공간뿐만 아니라 다른 지역 사람들도 쉽게 올 수 있는 장소가 될 것이고, 나아가 동구를 알릴 수 있는 기회가 될 것이기에 쉼의 공간을 만들기 위한 노력이 필요하다.
- 현재 동구는 노령인구의 비율이 높아서 노인을 위주로 복지를 하고 있으며, 어린이나 청소년을 위한 공간은 부족하다. 폐교된 좌천초등학교를 활용한다면 노인위주의 복지뿐만 아니라 남녀노소 누구나 살기 좋게 만들어 동구를 발전시킬 수 있는 저비용 고효율의 복지 문화 시설이 될 것이다.
- 폐교를 여러 연령층이 쉽게 접근할 수 있는 휴식 공간, 다양한 체험공간과 여가 공간으로 만들 필요가 있다.
- 이 정책은 결과적으로 폐교를 활성화시켜서 유동인구를 증가시키게 된다면, 동구를 홍보하는 것이고, 관광의 중심지가 되며, 나아가 다른 지역의 사람들이 동구로 인구가 유입이 되도록 유도될 수 있을 것이다.
- 폐교를 쉼의 공간으로 활용하고자 동구의 학생들이 필요로 하고 좋아하는 시설에 대한 설문조사를 실시하여 학생들의 삶의 질을 향상하고 지역 경쟁력을 강화하고자 한다.

■ 주요 내용

• 동구에는 영화관과 코인노래방이 없어서 사람들이 영화를 보거나 노래를 부르려면 다른 지역으로 이동을 해야 한다. 그래서 작은 영화관과 코인노래방 시설이 필요하다.
• 동구 학생들과 주민의 교양 함양을 위한 독서실, 도서관 그리고 카페가 필요하다.
• 학생들의 적성을 찾을 수 있고, 어른들의 취미를 찾는 데 도움이 되는 다양한 체험활동을 할 수 있는 시설이 필요하다.
• 다양한 체험 활동(음료 만들기, 디저트 만들기 등의 프로그램)에서 얻은 재능으로 카페를 같이 운영할 수 있는 교육기관이 필요하다.
• 지역 공동체의 화합을 위하여 다양한 연령층이 즐길 수 있는 스포츠 공간이 필요하다

■ **최종 제안**

• 쉼과 놂의 공간을 만들자.
• 작은 영화관, 코인노래방, 작은 도서관, 카페, 문화교실, 마을공동식당, 스포츠센터 등.

■ **제안자** : 놀이 공간 연구 분과

소속/이름 : 범일초등학교, 고경서/ 동일중앙초등학교, 김해인
선화여자중학교, 옥도경 / 부산중학교, 최용준
경남여자고등학교, 구예강

■ **지도교사** : 하동윤(인제대학교 외래교수/한국과학영재학교 강사)

정책 제안서 4
소통의 공간으로 좌천초

■ 제안 배경

• 설문조사의 결과가 대부분 좌천초 내부의 활용문제만 고려.
• 공간의 내부를 외부와 어떻게 연결하고 소통할 것인지에 대한 필요성 발생.
• 마을과 학교의 유기적 연결과 접근의 용이성을 고려.

■ 주요 내용

• 좌천초를 놀이와 쉼 그리고 배움으로 활용한다면, 좌천초 인간의 마을과 골목 그리고 빈 공간 역시 놀이와 쉼 그리고 배움으로 접어들 수 있도록 해야 한다.
• 마을 주변에 학교와 어울리는 전통적인 분위기를 연출하거나, 사진 찍을 수 있는 공간(벽화, 조각 등 설치)을 만든다.
• 좌천초로 오는 길목길목에 노인과 어린아이들이 쉴 수 있는 벤치를 만들거나 화초를 가꾸어 쾌적하게 좌천초에 올 수 있도록 하자.
• 좌천초로 접근할 수 있는 모노레일을 설치하자.
• 좌천초 내부의 급경사를 이동할 수 있도록 에스컬레이터나 엘리베이터를 설치하자.
• 좌천초 인근의 주차장을 마련하고 확대하자.
• 좌천초에 대중교통을 쉽게 접근할 수 있도록 대중교통(버스, 마을버스, 두리발 등) 노선을 정비하자.
• 좌천초에 접근할 수 있는 다양한 이동수단(자전거, 전동이동수단)을 고려하자.
• 학교의 즐거움이 마을에 소음이 되지 않도록 소음 차단막이나, 학교 외곽에 산책 숲길을 조성하여 소음을 차단한다.

■ 최종 제안

• 좌천초와 인근 마을이 소통할 수 있도록 공간을 구성하자.

• 이동장애인과 노인이 접근하기 쉽도록 좌천초 주변 길을 정비하자.
• 학교에서 발생하는 소음이나 불쾌감이 마을에 해가 되지 않도록 하자.

■ **제안자** : 청결 안전 분과

소속/이름 : 초량초등학교, 이하 / 성남초등학교, 박수아/ 선화여자중학교, 김가은
부산서중학교, 이상언/ 경남여자중학교, 홍수민
수정초등학교, 장동현/ 수정초등학교, 조문기

■ **지도교사** : 김동규(민주시민교육원 나락한알 원장)

'쉼, 놂, 배움과 소통의 공간, 좌천초'의 모습

강서고등학교 학생의 의견과 실천

건강한 물을 먹기 위한 나의 주장과 실천

1조 : 공다빈, 채은서, 이윤주, 정세희, 이선권

공다빈 환경오염이 되지 않게 노력해야 한다. 개인적으로는 분리수거하고 텀블러를 사용하고 절수를 한다. 사회적으로는 환경오염을 일으키는 요인(원자력, 물민영화 등)에 대한 방안을 강구한다.

채은서 쓰레기를 함부로 버리지 말아야 한다.

이윤주 축산농가, 공장폐수 등 깨끗하게 만들어서 버려야 한다.(물을 깨끗하게) 개인적으로는 합성세제 사용을 자제하고, 생활하수를 줄인다. 사회적으로 폐수를 함부로 버리지 못하게 감시하고, 정수처리 시설을 갖춘다.

정세희 물을 최대한 아껴서 쓴다. 개인적으로는 세탁을 할 때, 한번에 몰아서 한다. 비닐이나 플라스틱 등을 최대한 적게 쓴다. 사회적으로 유독성 폐기물을 즉시 없앤다. 수질오염을 유발시키는 원인을 알아보고 해결한다.

이선권 물을 소중하게 여겨야 한다. 개인적으로 물관련 캠페인에 참여한다. 사회적으로 수질 오염을 방지하는 관련 활동을 홍보한다.

2조 : 이선권, 정세희, 이윤주, 채은서, 공다빈

최종 주장 : 핵발전소를 줄여서 부산을 탈핵에너지 전환의 도시로 만들자.

근거 ① 방사능은 실생활에 유출되고 있다 → 건강에 악영향을 미친다.

② 핵발전소에서 발생할 수 있는 사고(기계적 결함이나, 조작실수나, 자연재해 등)에 대한 두려움이 크다.(ex. 격납철판의 부식, 외벽콘크리트의 구멍, 증기발생기 안에 망치를 방치하거나 은폐시도를 하는 등의 원전비리가 많다.)

③ 그런데 부산은 핵발전소 최대밀집지역이자 주변 인구 밀집이 세계 최대지역이다.

④ 형식적인 훈련 외에 주민교육도 없고, 매뉴얼 배포도 없다. 재난이 발생되면 대피할 수 없고, 피해는 이루말할 수 없이 크다.(ex. 2016년 9월 진도 5.1과 5.8 규모의 지진이 있었고, 일부 시설이 침수된 경우가 있었다.)

⑤ 기장해수담수화와 기장에 위치한 핵발전소 사이의 관계는 모순적이다. 적은 양일지라도 음용이 일상이 되고 지속될 때 내부피폭 피해가 높아진다.

⑥ 핵폐기물에 대한 처리 방법이 세계적으로도 밝혀지지 않았다.

3조 : 박성빈, 윤지성, 김민호, 이승윤, 임정빈

주장 : 생수나 정수기에 쓸데없이 돈 쓸 바에는 수돗물에 더 투자하여 안전하게 운용하자.

근거 ① 생수는 안전하지 못하다. 물을 담는 용기 특성상 투과물질이나 고온이나 직사광선 등으로 미생물이 번식하고 악취가 난다.

② 정수기도 안전하지 못하다. 정수기의 수질을 검사하는 기관은 정수기 사업에 투자한 기업들이라서 자기들끼리 짜고 수질이 나빠도 좋다고 할 수 있다.

③ 생수는 비싸지만 건강을 위협하는 물질에 쉽게 노출되기 때문에 값싸고 생각보다 안전한 수돗물을 이용하는 게 좋다.

④ 녹조문제 때문에 투자를 하여 안전한 수돗물을 사용하는 게 모두를 위해 좋다.

⑤ 병입 수돗물은 문제가 아주 많아서 그냥 수돗물을 발전시키자.

실천 : 개인적으로는 물을 끓여 마시고, 분리수거를 잘한다. 정수기를 설치하지 않는다. 수질오염을 방지하고, 개인텀블러를 쓴다.

사회적으로는 캠페인을 벌이고, 수질 오염을 방지하며, 물민영화에 반대한다.

4조 : 이가희, 박주현, 박건희, 이지현, 이현아

주장 : 물을 민영화해서는 안 된다.

근거 ① 수도요금이 기업에게 위탁된 후 수도요금이 상승하게 된다. 예산의 적자를 빙자하여 빈곤층이 수도세 상승으로 인해 물 사용이 어려워져도 문제 해결을 하지 않으려 할 것이다.

② 수도 운영노하우나 기술이 사기업의 영역으로 이전되거나 체계적으로 발전되면 이를 공공영역으로 다시 되돌리기 어렵다.
③ 수도 운영이 사기업으로 위탁된다면 시민들을 위한 먹는 물의 안전성과 안정성은 담보되지 않는다. 기업은 언제든 이윤을 위해 도덕적 책임을 방기할 수 있기 때문이다.
④ 정부가 책임지고 시민들을 위한 먹는 물의 안정성과 안전성을 담보하지 못할 수 있다. 우리가 정부에 세금을 내는 이유는 그러한 공공성을 정부가 책임지고 담보해주어야 하기 때문이다.

5조 : 박상우, 류현, 전승호, 곽성재, 표성욱
주장 : 수돗물을 깨끗하게 해서 많이 이용할 수 있도록 하자.
근거 ① 수돗물에 대한 막연한 불안감으로 사람들이 수돗물을 사용하기를 꺼려하므로 수돗물이 안전하다는 인식을 심어주는 것이 필요하다.
② 물 민영화를 하면 안 된다.(민영화 중 하나인 병입 수돗물을 예로 들면 1. 수돗물 불신만 가중되고 비용의 상승을 불러온다. 2. 수돗물 양극화가 발생한다. 3. 일반 수도시설이 방치될 가능성이 높다. 4. 안정성이 문제가 된다. 5. 거대 음료회사만 배를 불리는 꼴이다.)
③ 물관리 일원화 정책을 시행하자. 국토부와 환경부의 사업 중복에 따른 예산 낭비가 심하다.

부록 6

부산의 복지사들이 경험한 여성차별 그리고 …

1. 여자가~ 발언들

여자가 과일을 잘 깎아야지. 여자 방이 왜 그러냐? (과일 음식 만들 때) 여자가 이런 것도 할 줄 몰라? 여자가 찬찬하지 못하고. 여자가 왜 그렇게 웃어. 여자가 돼서 웃음소리가 너무 경박스럽다. 여자가 집에서 밥이나 하지. 그건 여자가 해야지. 여자가 반짓고리도 안 갖고 다니냐? 여자가 손수건도 안 들고 다니냐? 여자는 여성스러워야 한다. 여자가 밤늦게 어딜 다니냐, 일찍 다녀라. 밤에 늦게 다니지 마라. 여자가 뭘 할 줄 알겠어. 여자니까 조신하게, 여자는 조신하고 단정해야 한다. 여자가 조신하지 못하게!! 여자가 조신해야지. 여자가 조신하게 집에서 밥하고 빨래나 해. 조신하다 참하다 등 여자가 ~ 발언들. 여자가 생글생글 웃으면서 행동해야지. 여자가 어디 밖에 나와 또는 이와 비슷한 여자가! 발언들. 여자가 그것도 못하나. 여자가 그 건 해야지. 그 일 할 수 있겠어? 여자가 말이야. 여자가 ~는 해야지. 여자가 어딜. 여자는 말이야 이러 해야 해. 여자 목소리가 담벼락을 넘을 면. 이 일을 여자가 할 수 있겠어? 어디 여자가 말이야. 여자가 (남자들 일하는 데) 나서지 마라. 여자가 어딜 나서려 해! 여자가 왜그래? 여자는 나서는 게 아니다. 여자가 뭘 안다고. 여자가 단정히 입고 다녀야지. 여자가 밥을 잘 지어야지. 여자가 여성스럽게 행동해야지. 여자가 다리를 붙이고 앉아야지. 여자가 화장을 해야지. 화장 강요. 여자가 살림도 못하면서 애는 왜 그리 빨리 낳았냐? 여자가 옷을 그렇게 입어서 쓰나. 여자가 남자 말하는 데 어디 토를 달아. 여자가 뭘 그렇게 해. 여자가 애교가 있어야지. 여자가 뭘 안다고? 어디 여자가. 립스틱 등 화장을 규제하거나 강요한다. 여자가 다리 오므려라. 여자가 조신해야 한다. 넌 여자애가 무슨 그런 말을 해? 어디 말 대꾸냐

2. 외모비하발언

반대로 외모칭송발언(예쁘다) 저렇게 살쪄서 어디 시집이나 가겠나?(나는 잘 갔다.) 여자는 다리가 예뻐야지. 여자는 예쁘고 봐야지. 여자 나이 외모 등에 대한 평가들. 여자 나이 오십이 넘으면 아무리 예뻐도 여자로 안 본다. 여자는 체중이 50kg 넘으면 안 된다. 인신발언(몸매) 등이 차별이다. 여자는 20대에 결혼해야지 30 넘으면 가치가 떨어진다.

3. 결혼과 시집

여자는 시집 잘 가면 된다(취집하면 되겠네), 여자는 남편을 잘 만나야 된다. 대학 때 여자들은 시집가면 그만이니까(경쟁의 상황에서 남자들이 우선할 때). 여자는 시집만 잘 가면 된다. 결혼 했다하니 아

이계획만 수없이 물어보더라(그게 일이랑 무슨 상관인지) 시집가면 어른 공경하고 요리 배워서 남편 굶기지 말고. 결혼하면 직장생활 못하겠네? 여자는 남자 잘 만나면 인생 피는 거지 뭐.

4. 남성우월 문화

여자애들 보내라(대학 때 남자 선배들이 여학생들 먼저 보내고 남학생들만 따로 모아 챙길 때). 여자(손녀)애니까 뒤로 빠져, 남자애(손자)에게만 간식 챙겨줌. 재산 상속 때 아들 딸 차별하기.

5. 일상과 편견

아침에 택시 타면 욕먹는다고 조심. 휴게실과 화장실 크기와 개수. 식당서 남자 밥그릇 수북하게 주고 내꺼는 보통으로 줄 때(4명). 집에서 애나 보고 살림이나 하지. 요리나 해, 청소나 해. 여자아나운서의 안경 착용금지. 유리천장들. 여자는 핑크 남자는 파랑. 여자가 왜 파란색을 좋아해 분홍색을 좋아해야지. 분홍색 옷을 입어. 출산 휴가 다 쓰고 와야겠어?

6. 전통과 차별

현모양처, 남존여비, 남아선호(아들이 최고야). 그래도 아들은 한 명 낳아야지. 외동아들인 아버님에, 아들 선호하시는 조모님의 차별대우. 여자 셋이 모이면 접시가 깨진다. 남자는 하늘 여자는 땅.

7. 존대적 비하

여자 말을 잘 듣자. 지하철 여성배려칸. 여성 전용 주차공간.

8. 여성 비하 단어

김여사, 된장녀, 김치년, 맘충 등 ○○녀로 지칭되는 발언들

9. 여자와 운전

여자는 운전을 못하니까, 항상 남자가 옆에 있어야 해. 초보운전=김여사(2). 여성운전자 무시, 운전도 못하는 게 차는 왜 들고 나오냐? 여자가 무슨 운전이냐? 여자가 집에서 밥이나 하지 운전을 왜 해. 여자가 어디서 운전을 해 집에서 밥이나 해라. 여자가 무슨 운전이냐 집에서 밥이나 해. 여자가 무슨 운전이냐 집에나 들어가라. 여자가 운전하면 김여사밖에 더 되냐? 여성운전자가 개념 없는 운전한다고 욕할 때. 면접을 보러 갔을 때 운전을 잘 하냐 물어서 아직 미숙하다고 했더니 우린 남자를 뽑을 계획이었다며 말을 흐렸고 그래서 그 일터에 안 가게 되었다(사비 들여 연습 좀 하라는 말이 돌아 왔다.). 아줌마 운전한지 얼마나 됐어요? 여자가 무슨 운전이야. 여자라고 운전강사가 운전면허 2종을 취득하지 왜 1종을 취득합니까 라고 말함. 운전 못하는 사람보고 무조건 김여사라고 발언하기. 여자라서 운전 할 때 버벅거리면 여자라고 잘 못한다고 말하는 사람들. 아~ 저 차 여자가 운전하네. 여자가 운전하면 막말이나 삿대질 등 무시하는 언행들이 있다(집에서 밥이나 하지.).

10. 접대문화

커피 좀 타주세요(2). 커피는 여자가 타야 맛있지, 여직원이 차나

다과 등을 준비하는 것. 꽃다발도 여직원이 전달해야 한다. 손님 올 때 거의 여자보고 나가라고 함(그래야 한다고). 여자들이 손님 왔을 때 차 대접한다. 남자들 힘 쓸 때 여자들은 커피나 타. 술은 여자가 따라야 제 맛이지. 여자가 남자에게 잘 해야 한다.

11. 가사부담

집안일은 여자가 하는 거지. 맞벌이 가정임에도 불구하고 가사는 모두 여자의 몫이다. 남자는 주방에 들어가는 거 아니다. 부엌은 여자의 공간. 남자가 부엌에 들어오는 거 아니다. 설거지 밥상차리기는 여자가, 절은 남자만. 주방일은 여자가 더 잘해야 되는 거 아니예요? 밥 차려!

12. 명절, 제사, 집안 대소사

명절 음식 준비나 대소사 때 여성동원. 명절 음식 만들게 밖에 나가지 마라. 아직도 제사상 준비는 며느리나 여자들만 한다. 명절 때 며느리는 일하고 남자들은 앉아서 논다. 며느리라서 일하고 그 집 (조카) 딸은 앉아서 티비 본다. 명절 식사 때: 너(여자)는 숙모들 상에가서 먹고 너(남자)는 삼촌들 상에 가서 먹어라. 남녀가 겸상하는 것 아니다. 여자라서 제사를 지낼 수 없다. 명절에 여자가 음식을 주도하고 남자는 뒷정리 하거나 그것도 안하고 휴식하는 것. 명절 때 여자는 요리하고 남자는 쉬는 풍습. 여자들은 제사상 차리기 바쁘지만 남자는 먹기만 한다. 시집가면 제사는 당연히 모셔야지. 장례 절차 중 외손녀라고 배제될 때. 명절 때 시댁 먼저 방문하는 것과 시댁행사 무조건 참여하는 것. 명절 집안일과 육아. 명절날 여자들이 음식하고 남자들이 절 하는 것. 명절날 음식하기. 제사 지낼 때 여자라고 못하게 하는 게 많음.

13. 능력차별

여자직업으로는 교사만한 게 없다. 여자는 애나 잘 낳으면 된다. 남자보다 여자가 더 꼼꼼하다며 급식일지 작성을 나에게 시킬 때. 너는 남자보다 힘이 없으니까 짐 들지 말고 가만히 있어. 힘쓰는 건 남자직원들이 할 테니 너네 여자 직원들은 남자들 격려해줘라. 승진 때 차별하기, 취업 때 차별하기, 여자니 진급이 안 돼.

14. 여성차별과 비례하는 남성차별들

남자 우선 문화들. 여승무원, 여간호사 vs 남자답게, 군대, 남간호사. 남자답지 못하게, 남자 하체가 그게 뭐냐. 남자가 힘도 없네. 남자는 능력이지. 의경 출신이 군대냐? 너 남자 맞냐 힘도 못 쓰면서. 남자가 썬크림, 립클로즈, 향수 등으로 한 마디 들었을 때. 무거운 것은 남자가. 기계만지는 것은 남자가 해야 한다. 여자는 약하니까. 남자가 쩨쩨하게, 남자가 여성스럽게! 남자니까 해야지, 남자니까 힘쓰는 일은 남자가 해야지. 스크린 사격장에서 총을 잘 못잡으니 이래서 여자들도 군대 가야되는데 라는 말을 들음. 남자가 힘든 일도 이겨내야지 약한 모습 보이지 마.

15. 여성차별 외 받은 차별들

지역 차별 : 수도권과 지방차별. 사투리 사용한다고 차별. 대전에서 부산으로 이사와 언어(강한 말투) 적응이 안 되어서 취업하기 힘들었어요. 부산에도 이런 거 있어? 사투리 써봐, 우와~ 신기하다(지역 무시).

외모 차별 : 키 작은 친구들이 맨 앞으로 나와. 남들 클 때 뭐했냐? 키도 작은 게. 외모비하발언.

발언 억압 : 모두가 예스 할 때 혼자 노라고 해서 받은 차별시선.

서열 차별 : 형제간 차별(첫째, 둘째 차별), 신임(막내)이 전화 받기 응대하기 등을 먼저하고 많이 해야 한다. 어렸을 때 사촌언니가 나보다 나이가 많다는 이유로 핑크색 원피스 입히고, 나는 초록색 원피스 입힌 일. 막내가 뭘 아나.

개성 차별 : 왼손잡이야? 글은 오른 손을 써야지. 사회복지사가 무단횡단하면 되나? 눈을 왜 그렇게 떠.

세대 차별 : 나이 먹었다고 무시당하는 것(요즘 사회 현상에 발 빠르지 못하고, 인터넷에 능숙하지 못한 것). 나이가 어려서 좀 책임감도 없을 것 같은데. 네가 어려서 뭘 알겠냐.

학력 차별 : 초등학교 때 학원에서 공부 잘하는 애들 먼저 집에 보내줌. 첫 직장에서 나는 졸업예정자였고, 상대는 무자격증의 대학원

생이었다. 당시 팀장은 상대에게 업무를 지시할 때 누구누구 선생님 이거이거 해주세요 라고 이야기했으나, 나에게는 어이 또는 학생이라 불렀다.

출신 차별 : 출신성분에 따라 차별하기.

강제 강압 : 선생님이 더 잘 알잖아, 그냥 해! 힘들고 지저분한 일은 누구에게 시킬까? 니가 하는 게 뭐가 있다고. 돈을 얼마나 모아 놓았기에?

시민의제사전 2020 필진 프로필

김동규 : 사회철학 박사, 민주시민교육원 나락한알 원장, 부산국제영화제 집행위원, 부산국제어린이청소년영화제 집행위원, 부산문화회관 이사, 부산대 예술문화영상학과 시간강사, (전) 부산비엔날레 학술위원

박진명 : 현재 생각하는 바다라는 문화 공간이자 플랫폼의 대표이자 (사)부산청년들의 이사장, 생활기획공간 통, 금정예술공연지원센터, 개념미디어 바싹, 플랜비문화예술협동조합, 생각하는 바다 등의 활동을 통해 문화기획, 문화 관련 연구, 문화공간 운영 등 다양한 방식으로 지역문화에 접속해왔다. 뿐만 아니라 스스로 청년기를 통과해오면서 느꼈던 어려움을 바탕으로 부산청년포럼, (사)부산청년들 활동을 통해 청년정책 대응도 해오고 있다.

서영수 : 전 부산민예총 사무국장, 전 부산문화관광축제조직위 사무처장 , 전 부산문화재단 생활문화본부장, 현 부산콘텐츠마켓 전문위원

원향미 : 부산대 예술문화와 영상매체 협동과정 박사, 부산문화정책연구소 연구원, 부산민예총 정책위원장, 금정문화재단 글로벌사업 · 문화소통 팀장, 현 부신문화재단 정책연구센터 연구원

시민의제사전 2020
2020년 2월 6일 초판 1쇄 펴냄

편저 | 민주시민교육원 **나락한알**
펴낸이 | **박윤희**
펴낸곳 | 도서출판 **소요**-You
디자인 | **윤경디자인** 070-7716-9249
등록 | 2013년 11월 12일(제2013-000009호)
주소 | 부산시 중구 대청로137번길 11
전화 | 070-7716-9249
팩스 | 0505-115-5618
전자우편 | pyh5619@naver.com

ISBN 979-11-88886-09-8
값 14,000원

이 도서의 국립중앙도서관 출판예정도서목록(CIP)은 서지정보유통지원시스템 홈페이지(http://seoji.nl.go.kr)와 국가자료종합목록 구축시스템(http://kolis-net.nl.go.kr)에서 이용하실 수 있습니다.(CIP제어번호 : CIP2020004529)